DIALANN

Dúradáin

RODRICK ABÚ

le Jeff Kinney

Máirín Ní Mhárta
a rinne an leagan Gaeilge

Futa Fata

An Spidéal

An Chomhairle um Oideachas
Gaeltachta & Gaelscolaíochta

Tá Futa Fata buíoch d' An Chomhairle um Oideachas Gaeltachta
& Gaelscolaíochta (COGG) faoin tacaíocht airgid.

Futa Fata,
An Spidéal,
Co. na Gaillimhe,
Éire
www.futafata.ie
ISBN: 978-1-910945-24-7

DO JULIE, WILL AGUS GRANT

MEÁN FÓMHAIR

<u>Dé Luain</u>

Bhí Mama chomh sásta go raibh mé ag scríobh i ndialann anuraidh gur cheannaigh sí ceann eile dom i mbliana.

An cuimhin leat an faitíos a bhí orm anuraidh go bhfeicfeadh amadán éigin mé le "dialann"? Bhuel, sin é díreach an rud a tharla inniu.

(MO DHEARTHÁIR RODRICK)

Ó tharla go bhfuil a fhios ag Rodrick faoi anois, ní mór dom an dialann nua a choinneáil faoi ghlas. Cúpla seachtain ó shin, d'aimsigh sé an ceann a bhí agam anuraidh agus tubaiste cheart a bhí ann. Ach ná labhair liom faoin scéal SIN.

Gan bacadh le Rodrick, bhí an samhradh ar fad uafásach.

Ní dheachaigh muid in áit ar bith agus ní raibh aon spraoi againn, a bhuíochas do Dhaid. Chuir sé iallach orm dul ar an bhfoireann snámha arís. Níor theastaigh uaidh go gcaillfinn aon chomórtas.

Tá sé ina chloigeann ag Daid go mbeidh mé i mo shnámhaí den scoth agus sin an fáth a gcuireann sé iallach orm dul ar an bhfoireann gach samhradh.

Ag mo chéad chomórtas snámha cúpla bliain ó shin, dúirt Daid liom gur cheart dom léim isteach sa linn agus tosú ag snámh nuair a chloisfinn an gunna tosaithe.

Ach, an rud NÁR INIS sé dom ná nach URCHAIR CHEARTA a bhí sa ghunna.

Mar sin, bhí faitíos mo chroí orm go mbuailfeadh an t-urchar mé sula sroichfinn an taobh thall den linn snámha.

Fiú nuair a bhí sé mínithe ag Daid dom nach mbíonn aon urchar sa ghunna tosaithe, bhí mé fós ar an snámhaí ba mheasa ar an bhfoireann.

Mar sin féin, bhain mé an duais "Feabhsaithe go Mór" ag ócáid bhronnta na ngradam ag deireadh an tsamhraidh. Sin mar go raibh difríocht de dheich nóiméad idir mo chéad rás agus mo cheann deireanach.

Tá Daid fós ag súil go mbainfidh mé barr mo chumais amach.

Ar go leor bealaí, ba mheasa bheith ar an bhfoireann snámha ná bheith ar scoil.

I dtosach báire, bhíodh orainn bheith ann gach maidin ag 7.30 agus bhíodh an t-uisce REOITE.

Ní hamháin sin, ach bhíodh muid uilig brúite i mullach a chéile in dhá lána den linn snámha.

Ní raibh againn ach dhá lána mar go mbíodh an rang "Snagcheol san Uisce" ar siúl ag an am céanna.

D'áitigh mé ar Dhaid ligean dom an rang Snagcheoil a dhéanamh in áit bheith ag snámh, ach ní bhfuair mé cead mo chinn.

Ba é seo an chéad samhradh gur lig an cóitseálaí dúinn brístí gearra snámha a chaitheamh in áit na mbrístíní beaga teanna a bhíodh orainn go dtí seo. Ach dúirt Mama go mbeadh orm sean-bhrístí Rodrick a chaitheamh.

Tar éis an ranga, phiocadh Rodrick suas sa veain mé. Cheap Mama dá gcaithfinn féin agus Rodrick am i gcuideachta a chéile nach mbeadh muid ag troid chomh minic. Ní raibh de thoradh air sin ach go raibh rudaí i bhfad níos measa eadrainn.

Bhíodh Rodrick leathuair déanach gach lá.

Ní ligeadh sé dom suí chun tosaigh leis. Dúirt sé go millfeadh mo chuid éadaí fliucha na suíocháin, cé go bhfuil an veain níos sine ná é féin.

Níl aon suíochán i gcúl veain Rodrick agus bhíodh orm suí i measc na n-uirlisí ceoil. Gach uair a stopadh an veain bhínn ag guí nach mbainfeadh ceann de na huirlisí an tsúil asam.

7

In áit dul sa veain le Rodrick, shiúlainn abhaile gach lá. Mheas mé go mbeadh sé níos sábháilte an dá mhíle sin a dhéanamh ar mo chosa ná bheith i gcontúirt i mo shuí ar mo thóin i gcúl an veain.

Agus leath den samhradh caite, bhí mo dhóthain faighte agam den snámh. Smaoinigh mé ar chleas chun éalú ó na ranganna.

Chaithinn cúpla nóiméad sa linn snámha agus ansin d'iarrainn cead dul chuig an leithreas. Chaithinn an chuid eile den am i bhfolach sa seomra feistis.

An t-aon fhadhb a bhí leis sin ná go raibh sé an-fhuar istigh ann

Bhíodh orm mé féin a chlúdach le páipéar leithris ar fhaitíos go bpréachfaí leis an bhfuacht mé.

Sin an chaoi ar chaith mé cuid mhaith de laethanta saoire an tsamhraidh. Sin é an fáth a bhfuil mé ag súil go mór le dul ar ais ar scoil amárach.

Dé Máirt

Nuair a chuaigh mé isteach ar scoil inniu bhí gach duine ag caitheamh go haisteach liom agus ní raibh tuairim agam cén fáth.

Ansin rith sé liom: Tá Galar na Cáise fós orm
ó ANURAIDH. Tholg mé Galar na Cáise sa
tseachtain dheireanach den scoilbhliain agus bhí
DEARMAD GLAN déanta agam air.

An fhadhb le Galar na Cáise ná go mbíonn sé
ort nó go dtugann tú do dhuine éigin eile é. Ach
ní rachadh duine ar bith i bhfoisceacht scread
asail díom.

Ar an dea-uair, bhí buachaill nua, Jeremy
Pindle, tosaithe i mo rang agus b'in deireadh na
faidhbe domsa.

Mata an chéad rang a bhí agam ar maidin agus
chuir an múinteoir i mo shuí le taobh Alex Aruda
mé. Sin é an buachaill is cliste sa rang.

Tá sé AN-ÉASCA cóipeáil ó Alex mar go gcríochnaíonn sé a chuid scrúduithe an-tapa agus cuireann sé an páipéar ar an talamh lena thaobh. Mar sin, má bhíonn deacracht ar bith agam, beidh cúnamh ar fáil ó Alex.

Is iad na páistí a dtosaíonn a sloinne le A, B nó C na páistí a gcuireann na múinteoirí ceisteanna orthu i gcónaí agus, mar thoradh air sin, bíonn siad an-chliste.

Tá daoine ann a cheapann nach bhfuil sé sin fíor, ach breathnaigh ar na páistí sa scoil s'againne.

ALEX ARUDA   CHRISTOPHER ZIEGEL

Go bhfios domsa, páiste AMHÁIN riamh a bhris an riail sin ar scoil agus ba é sin Peter Uteger. Ba é Peter an buachaill ba chliste ar scoil suas go dtí rang a cúig.

Ansin thosaigh grúpa againn ag magadh faoi mar gheall ar an bhfuaim a bhí ar chéadlitreacha a ainm.

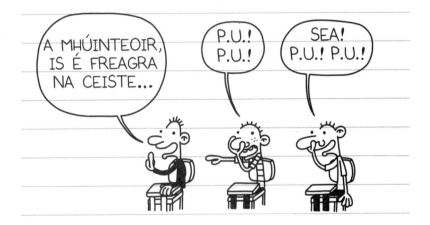

Ní chuireann Peter suas a lámh ar chor ar bith níos mó agus tá sé tite siar go mór sa rang.

Airím cineáilín go dona faoi sin ar fad, ach tá sé deacair gan a bheith ag maíomh as ag an am céanna.

Ar aon nós, fuair mé suíochán maith i ngach rang inniu seachas sa rang staire. Is é Mr Huff an múinteoir agus bhíodh sé ag múineadh Rodrick freisin cúpla bliain ó shin.

Dé Céadaoin

Tá orm féin agus Rodrick níos mó obair tí a dhéanamh anois agus cuireann Mama iallach orainn na soithí a ní gach oíche.

Níl cead againn breathnú ar an teilifís ná cluichí físe a imirt go mbíonn na soithí ar fad déanta. Ach, creid uaimse é gurb é Rodrick an duine IS MEASA ar domhan ag ní soithí.

A luaithe a bhíonn an dinnéar thart, téann sé
chuig an seomra folctha. Faoi am a dtagann sé ar
ais, bíonn na soithí ar fad déanta agamsa.

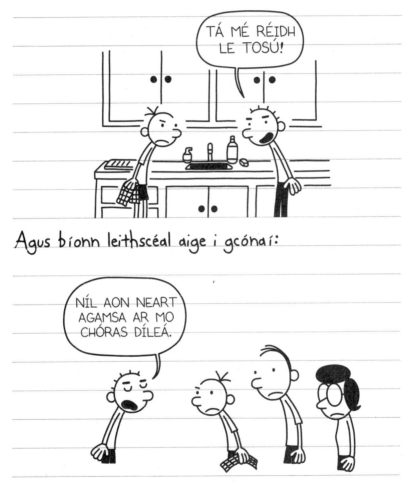

Agus bíonn leithscéal aige i gcónaí:

Ach tá an iomarca imní ar Mhama agus ar Dhaid
faoi Manny faoi láthair le bheith ag éisteacht
linne.

Inné, tharraing Manny pictiúr nuair a bhí sé
sa naíonra agus bhí an-díomá ar Mhama agus ar
Dhaid nuair a chonaic siad é.

Cheap Mama agus Daid gurb IAD FÉIN atá sa
phictiúr agus anois bíonn siad an-mhór lena chéile
os comhair Manny.

Bhí a fhios agamsa go maith cé a bhí sa
phictiúr: mé féin agus Rodrick.

Bhí an bheirt againn in árach a chéile an oíche cheana mar gheall ar an teilifís agus chonaic Manny muid. Ach ní gá go bhfaigheadh Mama agus Daid amach faoi SIN.

Déardaoin

Fáth eile go raibh drochshamhradh agam ná go raibh mo dhlúthchara, Rowley, ar laethanta saoire an t-am ar fad. Ceapaim go ndeachaigh sé go Meiriceá Theas nó áit éigin, ach níl mé cinnte le bheith fírinneach.

Níl a fhios agam an drochdhuine mé, ach is cuma liom sa sioc faoi laethanta saoire daoine eile.

ANSIN BEIDH MUID AG DUL AR BHÁD MÓR AR AN ABHAINN...

MM HMM... HÉ, AN BHFACA TÚ AN BRICÍN SEO ATÁ AR MO LÁMH?

Ar aon nós, bíonn teaghlach Rowley imithe in áit éigin i gcónaí. Téann siad ar cuairt chuig áiteanna aisteacha ar fud na cruinne nár chuala mise trácht riamh orthu.

Fáth eile gur cuma liom faoi thurais Rowley ná go mbíonn sé do mo bhodhrú le scéalta fúthu.

Anuraidh, chuaigh Rowley agus a theaghlach chun na hAstráile agus nuair a tháinig sé abhaile cheapfá go raibh a shaol ar fad caite aige ann.

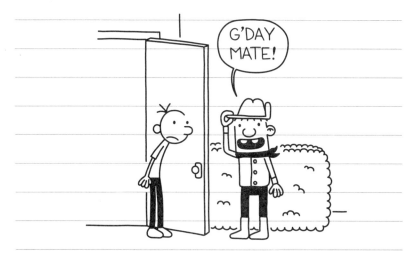

Rud eile a chuireann olc orm ná go dtagann Rowley abhaile agus é tógtha le cultúr na háite mar a bheadh leanbh óg ann.

Nuair a tháinig sé abhaile as an Eoraip dhá bhliain ó shin bhí sé faoi gheasa ag amhránaí pop darbh ainm "Joshie" atá ina réalta mhór thall ansin. Bhí valach dlúthdhioscaí, póstaeir agus stuif eile le Joshie aige ina mhála.

Ní raibh orm ach breathnú ar an dlúthdhiosca agus bhí a fhios agam go raibh Joshie níos oiriúnaí do chailíní beaga, ach níor aontaigh Rowley liom. Dúirt sé nach raibh ormsa ach éad mar nach mise a tháinig ar Joshie ar dtús.

An rud ba mheasa ar fad ná go raibh Joshie ina laoch mór ag Rowley anois agus ní raibh mé in ann mo bhéal a oscailt faoi.

Ós ag caint ar thíortha thar lear atá mé, dúirt Madame Lefrere linn sa rang Fraincise inniu go mbeidh cairde pinn againn i mbliana.

Bhí cara pinn ag Rodrick fadó. Cailín seacht mbliana déag d'aois as an Ísiltír a bhí inti. Chonaic mé na litreacha i bhfolach ina sheomra.

Nuair a thug Madame Lefrere amach na foirmeacha, chuir mise tic sna boscaí a chinnteodh go bhfaighinn cara pinn cosúil leis an gcailín a bhí ag Rodrick.

Ach nuair a chonaic Madame Lefrere an fhoirm, chuir sí iallach orm tosú arís. Dúirt sí go raibh orm buachaill Francach a bhí an aois chéanna liom féin a roghnú. Níl mórán dóchais agam anois gur dea-rud a bheidh anseo ar chor ar bith.

Je m'appelle "Philippe."

Dé hAoine

Rinne Mama cinneadh gur cheart do Rodrick mé a phiocadh suas ón scoil as seo amach. Nuair a tháinig sé inniu, dúirt mé leis é a thógáil go réidh leis na coscáin ionas nach mbeinn ag titim ar fud chúl an veain mar a tharla le linn an tsamhraidh.

Dúirt sé go ndéanfadh sé sin, ach rinne sé cinnte go ndeachaigh sé thar gach uchtóg ar an mbóthar ar an mbealach abhaile.

Nuair a tháinig mé amach as an veain, dúirt mé le Rodrick gur asal é agus thosaigh muid ag troid. Chonaic Mama gach rud ó fhuinneog an tseomra suí.

Chuir Mama iallach orainn dul isteach agus suí
ag bord na cistine. Dúirt sí go mbeadh orm
féin agus ar Rodrick rudaí a shocrú eadrainn ar
"bhealach sibhialta".

B'éigean dúinn gach rud a bhí déanta mícheart
againn a scríobh síos agus pictiúr a tharraingt
lena thaobh. Agus bhí a fhios agam go díreach
céard a bhí ar intinn aici leis an smaoineamh SIN.

Ba mhúinteoir bunscoile Mama fadó agus nuair a
dhéanadh dalta rud éigin as bealach chuireadh sí
iallach air pictiúr a tharraingt de. Bhí sí ag
iarraidh go mbeadh náire ar an dalta as an méid
a bhí déanta aige.

Nuair a bhrisim na
criáin bíonn na
daltaí eile brónach.

Bhuel, b'fhéidir gur oibrigh smaoineamh Mhama ar na naíonáin bheaga, ach beidh uirthi teacht aníos le rud éigin níos fearr ná sin sula réiteoidh mé féin agus Rodrick lena chéile.

An fhadhb mhór atá agam ná go bhfuil a fhios
ag Rodrick faoi rud éigin a tharla dom i rith an
tsamhraidh, rud a chuireann NÁIRE orm.

Mar sin, má sceithimse ar Rodrick inseoidh sé mo
rún don domhan mór.

Faraor nach bhfuil rud éigin ar eolas agamsa
faoi Rodrick agus bheinnse in ann mo dhíoltas a
bhaint amach air siúd.

Tá rud amháin ar eolas agam faoi Rodrick a
chuirfeadh náire air, ach ní dóigh liom go
ndéanfaidh sé aon mhaitheas dom.

Nuair a bhí Rodrick sa dara bliain ar scoil, bhí
sé tinn an lá a raibh na pictiúir scoile á dtógáil
agus dúirt Mama le Daid seanphictiúr ón gcéad
bhliain a thabhairt chun na scoile don bhliainiris.

Níor chuala Daid i gceart í áfach agus ba
phictiúr de Rodrick ó naíonáin bheaga a thug sé
isteach.

Agus creid é nó ná creid, ba é sin an pictiúr a d'úsáid siad.

| Harrington, Leonard | Hatley, Andrew | Heffley, Rodrick | Hills, Heather |

Faraor, bhí Rodrick sách glic gur stróic sé an leathanach sin as an mbliainiris. Mar sin, beidh orm leanacht leis an gcuardach.

Dé Céadaoin
Ó cuireadh dualgas na soithí orm féin agus Rodrick, bíonn Daid ag dul amach sa gharáiste gach oíche chun oibriú ar an mionsamhail de láthair chogaidh atá cruthaithe aige.

Caitheann sé trí uair an chloig ar a laghad
amuigh ann gach oíche. Ceapaim go gcaithfeadh
Daid an deireadh seachtaine ar fad ann freisin
ach go bhfuil pleananna EILE ar na bacáin ag
Mama dó.

Is breá le Mama bheith ag breathnú ar scannáin
rómánsúla agus cuireann sí iallach ar Dhaid
breathnú orthu in éineacht léi. Ach tá a fhios
agam nach dteastaíonn ó Dhaid ach éalú agus
dul amach sa gharáiste chuig a chogadh beag.

Nuair nach bhfuil Daid ag obair ar a láthair
chogaidh, déanann sé cinnte nach dtéann muide
in aice leis ach an oiread.

Ní ligeann sé dúinne lámh a leagan air mar go gceapann sé go millfidh muid é.

Níos luaithe inniu chuala mé é ag rá le Manny fanacht amach uaidh freisin.

Dé Sathairn

Tháinig Rowley ar cuairt inniu. Ní maith le Daid nuair a bhíonn Rowley ag an teach mar ceapann sé go bhfuil sé místuama. Sin mar gheall ar an am a raibh Rowley ag ithe dinnéir anseo agus thit an pláta uaidh.

Mar sin, ceapann Daid go bhfuil Rowley chun a láthair chogaidh a bhriseadh.

Nuair a thagann Rowley ar cuairt na laethanta seo, tugann Daid foláireamh dó ag an doras.

Ní thaitnímse le Daid Rowley ach an oiread. Sin an fáth nach dtéim ar cuairt chuige mórán níos mó.

An uair dheireanach a d'fhan mé thar oíche i dteach Rowley chonaic muid an scannán seo inar fhoghlaim na páistí teanga rúnda nár thuig daoine fásta.

AISTRIÚCHÁN: AG 2.30 P.M. CAITHFIDH MUID NA LEABHAIR AR FAD AR AN URLÁR.

Cheap mé féin agus Rowley go raibh sé iontach agus rinne muid iarracht labhairt mar a labhair na páistí sa scannán.

Ach, níor éirigh linn é a oibriú amach agus chum muid ár dTEANGA FÉIN.

Bhain muid triail as ag am dinnéir.

Ach, d'éirigh le Daid Rowley an cód a bhriseadh agus cuireadh abhaile mé sula raibh deis agam mo mhilseog a ithe. Agus ní bhfuair mé cuireadh chuig an teach ó shin.

Nuair a tháinig Rowley ar cuairt inniu, thug sé leis grianghraif óna chuid laethanta saoire. Thaispeáin sé pictiúir dom den safari a rinne sé ar abhainn agus ní raibh ann ach éin agus stuif mar sin.

Bhí mise sa pháirc siamsaíochta "An Fearann Fiáin" go minic. Tá abhainn ann le sruth láidir agus ainmhithe iontacha róbait ar nós goraillí agus dineasáir.

I mo thuairim féin, ba cheart do thuismitheoirí Rowley é a thabhairt go dtí an Fearann Fiáin agus gan a gcuid airgid a chur amú ar safari leadránach.

AN BHFACA TÚ SIORCANNA AG TROID LE DAMHÁIN ALLA MHÓRA AR DO SAFARI?

NÍ FHACA. NÍ BHÍONN SIORCANNA AG TROID LE DAMHÁIN ALLA.

BÍONN SAN FHEARANN FIÁIN.

Ach ar ndóigh ní raibh Rowley ag iarraidh
cloisteáil faoi mo chuid laethanta saoire agus chroch
sé leis a phictiúir agus d'imigh sé leis abhaile.

Anocht tar éis an dinnéir, d'iarr Mama ar Dhaid
breathnú ar scannán, ach níor theastaigh ó
Dhaid ach bheith ag obair ar a láthair chogaidh.

Nuair a chuaigh Mama chuig an leithreas chuir
Daid cúpla piliúr isteach faoin bpluid ionas go
gceapfadh Mama go raibh sé tite ina chodladh.

Ní bhfuair Mama amach faoina chleas go dtí go
raibh an scannán thart.

Chuir sí iallach air dul a chodladh cé nach raibh
sé ach a 8:30.

Agus anois codlaíonn Manny i seomra Mhama agus Dhaid mar go bhfuil faitíos air roimh an mac tíre mór atá sa gharáiste.

Dé Máirt

Cheap mé go raibh Rowley críochnaithe ag caint ar a thuras, ach bhí mé mícheart. Inné, d'iarr an múinteoir Staidéar Sóisialta air a insint don rang ar fad faoina shaoire agus tháinig sé isteach inniu agus culaith áiféiseach air. An rud ba MHEASA áfach ná go raibh na cailíní ar fad ag rith ina dhiaidh ag am lóin.

Ach thuig mé ansin go mb'fhéidir nach drochrud ar chor ar bith a bhí ann. Mar sin, thosaigh mé ag dul timpeall na scoile leis, ó tharla gur MISE a dhlúthchara.

Dé Sathairn

Tá Daid do mo thabhairt chuig an ionad siopadóireachta gach Satharn le cúpla seachtain anuas. Cheap mé ar dtús go raibh sé ag iarraidh am a chaitheamh liom. Ach ansin thuig mé nach raibh uaidh ach bheith imithe as an teach nuair a bheadh banna Rodrick ag cleachtadh a gcuid ceoil.

Bíonn banna trom-mhiotail Rodrick ag cleachtadh sa gharáiste gach deireadh seachtaine.

Is é Bill Walter an príomhamhránaí agus casadh orainn é inniu agus muid ag dul amach an doras.

MAIDIN MHAITH, MR HEFFLEY!

Níl Bill ag obair, agus tá sé fós ina chónaí lena thuismitheoirí, cé go bhfuil sé tríocha a cúig bliain d'aois.

Tá mé ionann is cinnte go bhfuil faitíos a chroí ar Dhaid go ndéanfaidh Rodrick dia beag de Bhill agus go mbeidh sé ag aithris air.

Mar sin, nuair a fheiceann Daid Bill cuireann sé i ndrochghiúmar é don chuid eile den lá.

An fáth gur iarr Rodrick ar Bhill bheith sa bhanna ná gur vótáladh é sa chatagóir "An Té is Dóchúla a bheidh ina Réalta Rac-cheoil" in iris bliana na scoile.

An Té is Dóchúla a bheidh ina Réalta Rac-cheoil

Bill Walter   Anna Wrentham

Ní dheachaigh rudaí go rómhaith do Bhill ó shin agus chuala mé go bhfuil Anna Wrentham sa phríosún.

Ar aon nós, chuaigh mé féin agus Daid amach inniu ach nuair a d'fhill muid, ní raibh banna Rodrick críochnaithe go fóill. Bhí na drumaí agus na giotáir le cloisteáil míle ó bhaile agus bhí slua déagóirí bailithe taobh amuigh den teach.

Caithfidh sé gur chuala siad an ceol agus gur mheall sé iad mar a bheadh beacha thart ar bhláth.

Nuair a chonaic Daid iad, SPRÉACH sé.

Rith sé isteach sa teach chun fios a chur ar na póilíní, ach stop Mama é sular éirigh leis an fón a phiocadh suas.

Dúirt sí nach raibh aon dochar sna déagóirí agus nach raibh uathu ach éisteacht leis an gceol deas. Níl a fhios agam cén chaoi a bhféadfadh sí a leithéid a rá. Dá gcloisfeá banna Rodrick, thuigfeá céard atá i gceist agam.

Ní raibh Daid ar a shuaimhneas leis na déagóirí sin ar fad taobh amuigh den teach.

Chuaigh sé suas an staighre agus fuair sé a sheinnteoir ceoil. Chuir sé isteach dlúthdhiosca de cheol clasaiceach agus ní CHREIDFEÁ chomh tapa is a d'éalaigh na déagóirí.

Bhí Daid thar a bheith sásta leis féin, ach bhí Mama oibrithe leis as "lucht tacaíochta" Rodrick a dhíbirt.

Dé Domhnaigh

Sa charr ar an mbealach chuig an séipéal inniu, bhí mé ag déanamh iarracht Manny a chur ag gáire. Chuir mé strainc aisteach orm féin agus rinne Manny an oiread gáire gur tháinig sú amach as a shrón.

Ach ansin dúirt Mama:

A luaithe a chuir Mama an smaoineamh sin i gcloigeann Manny bhí an gáire thart.

Sin an fáth go bhfanaimse amach ó Manny. Gach uair a dhéanaim iarracht píosa spraoi a bheith agam leis, bíonn aiféala orm.

Is cuimhin liom nuair a bhí mé níos óige agus nuair a dúirt Mama agus Daid liom go raibh deartháir beag ar an mbealach. Bhí SCEITIMÍNÍ orm.

Tar éis na blianta a chaitheamh i mo bhabaí
sa teach, bhí mé sásta nach mbeinn ag bun an
dréimire níos mó.

Ach tá Mama agus Daid thar a bheith cosantach
thart ar Manny agus níl cead agam lámh a
leagan air, fiú nuair atá sé tuillte go maith aige.

Mar shampla, tá meaisín cluichí físe agam agus
cúpla lá ó shin chuir mé ar siúl é ach níor oibrigh
sé. Nuair a d'oscail mé é, chonaic mé go raibh
briosca brúite isteach ag Manny ann.

Ar ndóigh d'úsáid Manny an leithscéal céanna a bhíonn aige I gCÓNAÍ.

Bhí an oiread foinn orm tabhairt faoi, ach bhí Mama ina seasamh le mo thaobh.

Dúirt Mama go "labhródh" sí leis agus chuaigh siad síos an staighre. Leathuair ina dhiaidh sin, tháinig siad aníos agus bhí rud éigin ina lámh ag Manny.

Bhí liathróid taos súgartha aige le bioranna fiacla sactha ann.

Ba é sin an cúiteamh as mo mheaisín a bhriseadh. Bhí mé ar tí é a chaitheamh uaim, ach ní ligfeadh Mama dom an méid sin féin a dhéanamh.

RINNE DO DHEARTHÁIR É SIN DUIT!

A luaithe a bheidh deis agam beidh sé ag dul sa bhosca bruscair. Níl mé ag iarraidh go suífidh mé air de thimpiste.

Cé go gcuireann Manny as mo mheabhair mé, tá fáth AMHÁIN gur maith liom é a bheith thart orm. Ó thosaigh Manny ag caint, stop Rodrick ag cur iallach orm seacláid a dhíol ar mhaithe le hairgead a bhailiú don scoil. Agus tá mé thar a bheith buíoch as sin.

ROIMHE...

ANOIS...

Dé Luain

D'iarr Madame Lefrere orainn ár gcéad litreacha a scríobh chuig ár gcairde pinn inniu. Mamadou Montpierre atá ar mo chara féin agus glacaim leis go bhfuil sé áit éigin sa Fhrainc.

Tá mise ceaptha scríobh i bhFraincis agus Mamadou ceaptha scríobh i mBéarla ach, le bheith ionraic faoi, ní bheidh sé éasca é sin a dhéanamh.

Ní fheicim cén fáth a mbeadh strus ar an mbeirt againn.

Dear Mamadou,
First of all, I think we should both just write in English to keep things simple.

Dála an scéil, an cuimhin libh an faitíos a bhí orm go suífinn ar liathróid ghéar Manny? Bhuel, tharla sé, cineál.

Tháinig Rowley ar cuairt inniu agus shuigh
SEISEAN ar an liathróid.

Ba mhór an faoiseamh dom é, mar gur chaill mé é
cúpla lá ó shin agus ar a laghad tá a fhios agam
anois cá bhfuil sé.

Le linn an ruaille buaille ar fad, chaith mé
"bronntanas" Manny sa bhosca bruscair.

Dé Céadaoin

Tá aiste Bhéarla le tabhairt isteach ag Rodrick
inniu agus tá Mama ag cur iallach air é a dhéanamh
é féin den chéad uair riamh. Níl Rodrick in ann
clóscríobh, agus de ghnáth scríobhann sé a aistí
ar pháipéar agus clóscríobhann Daid dó iad.

Ach nuair a léann Daid aistí Rodrick, feiceann sé na botúin ar fad a bhíonn iontu.

Is cuma le Rodrick sa sioc faoi na botúin agus deir sé le Daid an aiste a scríobh mar atá sí.

Ach níl Daid in ann scaoileadh leis na botúin, agus scríobhann sé amach an aiste do Rodrick ón tús. Nuair a fhaigheann Rodrick toradh ar an aiste cúpla lá ina dhiaidh sin ligeann sé air féin gurb é féin a scríobh é.

Tá sé seo ag tarlú le blianta agus chinn Mama go gcaithfeadh sí stop a chur leis. Mar sin, dúirt sí le Daid anocht nach bhféadfadh sé cabhrú le Rodrick níos mó agus go mbeadh ar Rodrick féin an aiste a scríobh.

Chuaigh Rodrick isteach chuig an ríomhaire tar éis an dinnéir agus chloisfeá é ag clóscríobh thart ar litir amháin sa nóiméad.

Bhí a fhios agam go raibh an fhuaim seo ag cur as go mór do Dhaid. Mar bharr ar an donas, thagadh Rodrick amach gach cúpla nóiméad le ceist sheafóideach éigin ar Dhaid.

Tar éis cúpla uair an chloig, chaill Daid an cloigeann.

D'fhan sé go ndeachaigh Mama a chodladh agus chlóscríobh sé a aiste ar fad do Rodrick. Mar sin, tá Rodrick slán sábháilte go ceann tamaill eile.

Tá aiste le tabhairt isteach agam féin amárach freisin, ach níl mórán imní orm faoi.

Bíonn léirmheas le déanamh againn ar leabhar ó am go chéile agus tá mise ag baint úsáid as an leabhar céanna le cúpla bliain anois: "Sherlock Sammy Does It Again".

Tá breis agus fiche gearrscéal in "Sherlock Sammy Does It Again" agus ligimse orm féin gur leabhar atá i ngach ceann acu agus ní thugann an múinteoir faoi ar an scéal.

Tá na scéalta ar fad mar a chéile. Tarlaíonn coir agus déanann Sherlock Sammy iarracht réiteach a fháil air.

Tá mé i mo shaineolaí ar scríobh léirmheasanna anois. Níl le scríobh agat ach an rud a theastaíonn ón múinteoir a léamh.

Tá Sherlock Sammy chomh cliste. Gach seans go léann sé go leor leabhar.

An ceart ar fad agat!

Bhí focail an-deacair sa leabhar seo, ach chuardaigh mé an foclóir agus tá siad uilig ar eolas agam anois.

Tá tú féin chomh maith le Sherlock ar bith!

(A+)

DEIREADH FÓMHAIR

Dé Luain

Bhí cara agam anuraidh, Chirag Gupta, a chuaigh ar imirce i mí an Mheithimh. Bhí cóisir ag a mhuintir sular fhág sé agus bhí an baile ar fad ann. Ach, caithfidh sé gur athraigh siad a n-intinn, mar bhí Chirag ar ais ar scoil inniu.

Bhí muid ar fad sásta é a fheiceáil, ach rinne muid cinneadh píosa spraoi a bheith againn leis ar dtús.

Mar sin, lig muid orainn féin go raibh sé fós imithe.

Caithfidh mé a rá go raibh sé an-ghreannmhar.

Shuigh Chirag le mo thaobh ag am lóin. Bhí briosca mór seacláide agam i mo mhála agus rinne mé scéal mór de.

B'fhéidir go raibh sé sin beagáinín cruálach.

(NEAM NEAM
MMMM MMMM)

Seans go dtabharfaidh muid cead a chinn do
Chirag amárach. Ach, é sin ráite, b'fhéidir gurb
é Chirag Dofheicthe an chéad "P.U." eile.

Dé Máirt
Tá Chirag Dofheicthe fós ar bun againn agus
tá an rang AR FAD á dhéanamh anois. Tá mé
ag ceapadh má leanann sé seo ar aghaidh go
mbronnfar Fear Grinn an Ranga orm i mbliana.

Sa rang eolaíochta, d'iarr an múinteoir orm
na daltaí ar fad a chomhaireamh ionas go
bhféadfadh sí spéaclaí cosanta a thabhairt
amach.

Rinne mé rud mór den chomhaireamh agus chomhair mé gach duine ach amháin Chirag.

Bhuel, chuir sé sin Chirag in aer ar fad. Sheas sé suas agus thosaigh sé ag béiceach. Bhí sé an-deacair ligean orainn féin nach raibh sé ann.

Bhí fonn orm a rá leis nár dhúirt muid riamh nach duine daonna a bhí ann, ach gur duine daonna dofheicthe a bhí ann. Ach d'éirigh liom mo bhéal a choinneáil dúnta.

Sula ndéarfaidh tú gur drochdhuine mé as bheith ag magadh faoi Chirag, éist leis an méid seo. Tá mise níos lú ná 95% de na daltaí ar scoil agus, mar sin, níl mórán rogha agamsa faoin duine a mbeidh mé ag magadh faoi.

Ar aon nós, ní ormsa atá an locht ar fad anseo. Creid é nó ná creid, is ó Mhama a fuair mé an smaoineamh. Uair amháin nuair a bhí mé beag, bhí mé ag spraoi faoin mbord nuair a tháinig Mama do mo chuardach.

AN BHFACA SIBH GREGORY?

Níl a fhios agam céard a tháinig orm, ach rinne mé cinneadh cleas a imirt ar Mhama agus fanacht i bhfolach.

Chuaigh sí ar fud an tí do mo lorg. Sa deireadh thiar chonaic sí faoin mbord mé ach lig sí uirthi féin nach bhfaca sí mé.

Cheap mé go raibh an rud ar fad an-bharrúil agus go bhfanfainn ann tamall eile, ach fuair sí an ceann is fearr orm nuair a dúirt sí go raibh sí chun ceann de mo chuid cluichí a thabhairt do Rodrick.

Mar sin, má tá an milleán le cur ar dhuine ar bith, is ar Mhama atá sé le cur.

Déardaoin

Bhuel, inné d'éirigh Chirag as a chuid iarrachtaí aird na ndaltaí eile a tharraingt. Ach, fuair sé an ceann is fearr orainn inniu.

Bhí dearmad glan déanta agam ar Rowley. Nuair a thosaigh muid ar an gcleas seo ar dtús, rinne mé cinnte gur choinnigh mé amach ó Chirag é mar go raibh a fhios agam go ligfeadh sé an cat as an mála.

Ach ní raibh mé ar máire inniu.

Thosaigh Chirag ag obair ar Rowley ag am lóin agus is beag nár ghéill Rowley.

MÁ DEIR TÚ GO BHFUIL MÉ ANSEO, TABHARFAIDH MÉ AN tUACHTAR REOITE SEO DUIT!

Bhí a fhios agam go raibh Rowley ar tí rud éigin a rá agus b'éigean dom gníomhú go tapa. Dúirt mé le gach duine go raibh uachtar reoite tite as an spéir agus rug mé air agus d'ith mé é.

Ach, chuir sé sin OLC ceart ar Chirag.
Thosaigh sé do mo bhualadh, ach b'éigean dom
ligean orm féin nach raibh rud ar bith ag tarlú.

Agus ní raibh sé sin éasca, bíodh's agat.
B'fhéidir go bhfuil Chirag beag, ach tá dorn
crua aige.

<u>Dé hAoine</u>

Bhuel, caithfidh sé go ndearna Chirag clamhsán le múinteoir éigin mar cuireadh fios síos chun na hoifige orm inniu.

Nuair a chuaigh mé isteach chuig an bPríomhoide Roy, bhí sé le ceangal. Bhí a fhios aige faoin gcleas agus thug sé léacht dom faoi "mheas" agus faoi "dhínit" agus faoin gcineál sin ruda.

Ach bhí fíric mhór amháin mícheart aige. Bhí cleas á imirt – ach ní ar an duine a luaigh Mr Roy. Bheadh sé i bhfad níos éasca agam leithscéal a ghabháil anois.

TÁ AN-BHRÓN GO DEO ORM AGUS ADMHAÍM ANOIS GO BHFUIL TÚ ANN, SHARIF.

Bhreathnaigh Mr Roy sásta go maith le mo leithscéal agus scaoil sé amach mé gan aon phionós a chur orm.

Chuala mé riamh nach gcuireann Mr Roy pionós ar bith ar dhalta tar éis dó tabhairt amach dóibh, ach go dtugann sé líreacán dóibh, agus tá a fhios agam anois go bhfuil sé sin fíor.

Dé Sathairn

Tá a lá breithe ag Rowley amárach agus thug Mama chuig an siopa mé inniu chun bronntanas a cheannach dó. Phioc mé cluiche maith físe ach ansin dúirt Mama liom go mbeadh orm é a cheannach as mo chuid airgid FÉIN.

Dúirt mé léi, i dtosach báire, nach raibh aon airgead agam.

Agus ní hamháin sin, ach DÁ MBEADH airgead agam, nach ar ROWLEY a bheinn á chaitheamh.

Ní raibh Mama róshásta leis sin, ach ní ORMSA atá an locht nach bhfuil pingin rua agam. Bhí post agam i gcaitheamh an tsamhraidh, ach bhuail mo chuid fostóirí bob orm.

Go hiondúil, fágann mo chomharsana, muintir Fuller, a madra, Princess, le cairde leo nuair a théann siad ar saoire.

Ach an samhradh seo, thairg siad cúig euro sa lá domsa as bia a thabhairt do Princess agus í a thabhairt ar shiúlóid. Cheap mé gur an-mhargadh a bhí ann.

Ach ní maith le Princess dul chuig an leithreas os comhair strainséirí, agus chaith mé an t-uafás ama i mo sheasamh amuigh faoin ngrian ag fanacht uirthi a gnó a dhéanamh.

D'fhanainn is d'fhanainn léi gach lá, ach ní tharlaíodh dada. Sa deireadh thiar, thugainn ar ais isteach sa teach í.

Ach GACH uair a d'fhágfainn, dhéanfadh Princess cac mór istigh sa teach agus bhíodh orm é a ghlanadh an lá dár gcionn. Thuig mé tar éis tamaill go mbeadh sé i bhfad níos éasca fanacht agus na cacanna ar fad a ghlanadh suas le chéile seachas bheith á dhéanamh gach aon lá.

Mar sin, thugainn a bia di agus liginn cead di a gnó a dhéanamh istigh sa teach ar feadh coicíse.

Ansin, an lá sula raibh muintir Fuller le teacht abhaile, chuaigh mé suas chuig an teach chun salachar Princess a ghlanadh.

Ach bhí muintir Fuller tagtha abhaile luath!

Nach dtuigeann siad go bhfuil sé mímhúinte gan glaoch le rá go bhfuil na pleananna athraithe?

Anocht, thug Mama mé féin agus Rodrick le chéile le labhairt linn. Dúirt sí go mbíonn muid de shíor ag gearán nach bhfuil aon airgead againn agus bhí smaoineamh aici chun é seo a leigheas.

Tharraing sí amach airgead bréige a bhí faighte aici i gceann dár seanchluichí agus thug sí "Pingíní Pá" orthu. Dúirt sí go bhféadfadh muid pingíní a shaothrú as jabanna a dhéanamh agus go bhféadfadh muid iad a mhalartú ansin le hairgead CEART.

Shín Mama €1,000 an duine chugainn le tosú amach. Cheap mé go raibh mé saibhir. Ach ansin mhínigh sí dúinn nach fiú gach ceann de na Pingíní Pá ach cent amháin in airgead CEART.

Dúirt sí gur cheart dúinn iad a shábháil, agus dá mbeadh foighne againn, nach fada go mbeadh muid in ann rud éigin maith a cheannach.

Ach mhalartaigh Rodrick a chuid airgid ar fad sula raibh Mama críochnaithe ag caint.

Ansin chuaigh sé síos chuig an siopa agus cheannaigh sé irisí rac-cheoil.

Má tá Rodrick ag iarraidh a chuid airgid a chur amú mar sin, ar aghaidh leis. Ach beidh mise cliste le mo chuid Pinginí Pá.

Dé Domhnaigh

Lá breithe Rowley a bhí ann inniu agus bhí cóisir aige san ionad siopadóireachta. Tá mé cinnte go mbeadh an-spraoi agam dá mbeinn seacht mbliana d'aois.

B'in meánaois na bpáistí a bhí ag cóisir Rowley. Thug sé cuireadh dá fhoireann karate ar fad agus tá a bhformhór sin fós sa bhunscoil. Dá mbeadh a fhios agam go mbeadh an chóisir mar a bhí sé, bheinn fanta sa bhaile.

Thosaigh muid amach ag imirt cluichí seafóideacha ar nós Cuir an tEireaball ar an Asal agus rudaí mar sin. Ba é folach bíog an cluiche deireanach a d'imir muid.

Ba é an plean a bhí agam ná dul i bhfolach in umar na liathróidí go dtí go mbeadh an chóisir thart. Ach bhí páiste éigin eile istigh ansin romham.

Ní raibh sé fiú amháin ag cóisir Rowley. Bhí sé fanta ann ón gcóisir a bhí san áit roimhe.

Is dócha go ndeachaigh sé i bhfolach ann agus go ndearna an chuid eile de na páistí dearmad air.

B'éigean cóisir Rowley a chur ar athló ansin go dtí go raibh tuismitheoirí an pháiste aimsithe.

Nuair a bhí sé sin ar fad réitithe, d'ith muid cáca agus bhreathnaigh muid ar Rowley ag oscailt a chuid bronntanas. Bronntanais do pháistí óga a fuair sé den chuid is mó, ach bhreathnaigh sé go raibh sé sásta go maith leo.

Ansin thug tuismitheoirí Rowley a bhronntanas dó. Ní chreidfeá céard a bhí ann. DIALANN.

Chuir sé sin olc orm mar go raibh a fhios agam gur iarr Rowley dialann orthu ionas go bhféadfadh sé bheith cosúil liomsa. Nuair a d'oscail Rowley a bhronntanas dúirt sé:

D'fhreagair mé é le buille ar a ghéag. Agus is cuma liom gurbh é a lá breithe a bhí ann.

Rud amháin a déarfaidh mé áfach, ná go mbínn
an-mhíshásta le Mama as dialann a fháil dom a bhí
cosúil le ceann do chailíní. Tar éis ceann Rowley a
fheiceáil, níl an oiread feirge orm níos mó.

Tá Rowley ag cur as GO MÓR dom le déanaí.
Déanann sé aithris ar gach rud a dhéanaim. Deir
Mama gur cheart go mbeinn sásta go bhfuil cion
chomh mór aige orm, ach tá sé ag cur fonn múisce
orm anois.

Cúpla lá ó shin, bhain mé triail as rud éigin go
bhfeicfinn cé chomh fada is a rachadh Rowley.

Tharraing mé aníos go glúin cos amháin de mo bhríste agus cheangail mé scaif timpeall ar mo rúitín.

Ar ndóigh, tháinig Rowley ar scoil an lá arna mhárach agus an rud céanna déanta aige.

Agus b'in an chaoi gur éirigh liom cuairt a thabhairt ar oifig Mr Roy den dara huair an tseachtain sin.

TÁ BEIRT TAOBH AMUIGH DE MO THEACH AGUS IAD GLÉASTA MAR BHITHIÚNAIGH.

Dé Luain
Cheap mé go raibh mé tagtha slán as an gcleas ar Chirag Dofheicthe, ach is mé a bhí mícheart.

Anocht, fuair Mama glaoch ó DHAID Chirag.
D'inis Mr Gupta do Mhama faoin gcleas a bhí á
imirt againn ar a mhac agus gur mise ba chúis leis.

Nuair a cheistigh Mama mé, dúirt mé léi nach
raibh tuairim dá laghad agam céard air a raibh
Daid Chirag ag caint.

Chuir sí amach an doras mé agus suas leis an
mbeirt againn chomh fada le teach Rowley.

Ar an dea-uair, bhí mé ullmhaithe go maith
le haghaidh rud mar seo. Bhí sé ráite agam le
Rowley dá mbéarfaí orainn go gcaithfeadh muid
gach rud a shéanadh agus go mbeadh muid togha.

Ach a luaithe a thosaigh Mama ag cur ceisteanna ar Rowley, thosaigh sé ag bladhrach.

Mar sin, chuir Mama iallach orm dul in éineacht léi chuig teach Chirag. Agus déarfaidh mé an méid seo leat, ní róshásta a bhí mé faoi sin.

Níor bhreathnaigh Mr Gupta an-tógtha le mo leithscéal ach, creid é nó ná creid, níor chuir sé isteach ná amach ar Chirag.

Nuair a bhí mo leithscéal gafa agam leis, thug
Chirag cuireadh dom dul isteach chun cluichí físe
a imirt leis. Bhí Chirag buíoch go raibh duine
éigin ag caint leis arís agus mhaith sé an eachtra
ar fad dom.

Agus mhaith mise é as sceitheadh orm.

Dé Máirt
Cé gur lig Chirag liom aréir, ní raibh Mama réidh
liom fós.

Ní raibh sí chomh crosta sin faoin gcleas, ná
faoin gcaoi ar chaith mé le Chirag, ach bhí sí ar
mire gur inis mé BRÉAG faoi.

Mar sin, dúirt sí liom nach mbeadh cead agam mo
sheomra a fhágáil ar feadh MÍOSA dá n-inseoinn
bréag arís go deo di.

B'fhearr dom a bheith cúramach, mar ní dhéanann Mama dearmad ar rud ar bith. Nuair a bhaineann sé liomsa agus na botúin a dhéanaim, tá cuimhne eilfinte aici.

SIN AN DARA hUAIR A BHFUIL PUITEACH TUGTHA ISTEACH AR DO BHRÓGA AGAT!

(AN CHÉAD UAIR: SÉ BLIANA Ó SHIN)

Rug Mama orm ag bréagadóireacht anuraidh agus d'íoc mé go daor as.

Rinne Mama cáca ornáideach seachtain roimh an Nollaig agus chuir sí os cionn an chuisneora é. Dúirt sí nach raibh cead ag aon duine dul gar dó go dtí Oíche Nollag.

Ach ní raibh aon neart agam air. Gach oíche, théinn síos an staighre go ciúin agus d'íosainn písín beag den cháca. Níor ith mé ach oiread is na fríde ionas nach dtabharfadh sí faoi deara.

Bhí sé an-deacair gan ach méidín beag a ithe gach oíche, ach choinnigh mé guaim mhaith orm féin.

Níor thuig mé an méid a bhí ite agam i ndáiríre go dtí gur thóg sí anuas é Oíche Nollag.

Nuair a chuir sí an milleán ormsa, shéan mé é. Ach bhí aiféala orm nár inis mé an fhírinne ar an bpointe.

Bhí Mama tar éis post a fháil ag scríobh don nuachtán áitiúil agus bhíodh sí de shíor ag lorg ábhair d'ailt. Mar sin, fuair an saol mór amach faoin eachtra.

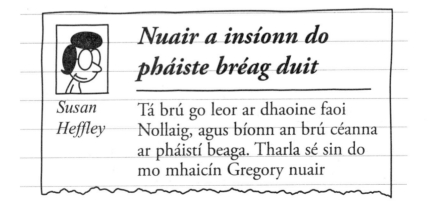

Nuair a insíonn do pháiste bréag duit

Susan Heffley

Tá brú go leor ar dhaoine faoi Nollaig, agus bíonn an brú céanna ar pháistí beaga. Tharla sé sin do mo mhaicín Gregory nuair

Anois agus mé ag smaoineamh orm féin, ní haon naomh mo Mhama ach an oiread.

Fadó, fuair sí amach nach mbínn ag ní m'fhiacla gach oíche. Lig sí uirthi féin go raibh sí ag glaoch ar an bhfiaclóir. Mar gheall air sin, ním m'fhiacla ceithre huaire in aghaidh an lae anois.

DR KRATZ, AN BHFUIL FIACLA BRÉIGE AGAT DO BHUACHAILLÍ BEAGA? CINN ADMHAID AN EA? DÉANFAIDH SIAD CÚIS.

Dé hAoine

Bhuel, tá trí lá caite agus níl aon bhréag inste agam do Mhama. Bhí mé 100% ionraic an t-am ar fad agus, creid é nó ná creid, ní raibh sé chomh deacair sin ar chor ar bith.

Mar a tharlaíonn sé, ba mhór an faoiseamh é.
Tharla cúpla rud ar inis mé an fhírinne fúthu, rud
nach mbeadh tarlaithe an tseachtain seo caite.

Mar shampla, an lá cheana bhí mé ag comhrá le
buachaill síos an bóthar, Shawn Snella.

Agus bhí cóisir ag muintir Rowley do lá breithe a sheanathar inné.

Níl aon ghlacadh ag daoine le buachaill chomh hionraic liomsa. Ní thuigim ó thalamh an domhain cén chaoi ar éirigh le George Washington a bheith ina uachtarán.

D'fhreagair mé an fón inniu agus Mrs Gillman ó Choiste na dTuismitheoirí a bhí ann agus í ag lorg mo Mhama. Rinne mé iarracht an fón a thabhairt do Mhama, ach chuir sí cogar i mo chluas a rá le Mrs Gillman nach raibh sí sa bhaile.

Cheap mé gur cleas a bhí ann agus ní raibh baol ormsa bréag a insint.

Chuir mé iallach ar Mhama dul amach taobh amuigh den doras sular labhair mé le Mrs Gillman arís.

Ón mbreathnú a thug mo Mhama orm nuair a
tháinig sí isteach arís, ní dóigh liom go mbeidh
sí ag súil le hionracas iomlán uaimse níos mó.

Dé Luain
Ba é inniu an Lá Gairme ar scoil. Bíonn sé ar
siúl gach bliain ionas go mbeidh na daltaí in ann
smaoineamh ar a dtodhchaí.

Tháinig daoine difriúla le poist éagsúla isteach
chun cainte linn. Bíonn siad ag súil go dtaitneoidh
ceann de na poist linn ón méid a insíonn siad
dúinn faoi.

An rud a tharlaíonn i ndáiríre ná go bhfaigheann
tú amach faoi na poist NACH bhfuil uait.

Tar éis na gcur i láthair, b'éigean dúinn ceistneoir a líonadh. An chéad cheist: "Cá bhfeiceann tú tú féin faoi cheann cúig bliana déag?"

Tá a fhios agamsa GO DÍREACH cá mbeidh mé faoi cheann cúig bliana déag: i mo linn snámha, i mo theach mór, ag comhaireamh mo chuid airgid. Ach ní raibh aon bhosca ann don rogha sin.

Tugann na ceistneoirí barúil duit faoin ngairm a bheidh agat nuair a bheidh tú mór. Nuair a chríochnaigh mise mo cheannsa, fuair mé "Rúnaí".

Caithfidh go raibh rud éigin mícheart le mo cheistneoir, mar níl aithne agam ar rúnaí ar bith atá ina bhilliúnaí.

Bhí roinnt de na daltaí eile míshásta freisin leis na poist a roghnaíodh dóibh. Ach dúirt an múinteoir linn gan mórán airde a thabhairt orthu.

Abair é sin le Edward Mealey. Anuraidh fuair sé "Glantóir" ar a cheistneoir agus tá na múinteoirí ag caitheamh ar bhealach aisteach leis ó shin.

Fuair Rowley "Altra" ar a cheisnteoir féin agus bhí sé breá sásta leis sin. Fuair cúpla duine de na cailíní Altra freisin agus thosaigh siad ag caint le Rowley faoi tar éis an ranga.

Caithfidh mé suí le taobh Rowley an chéad bhliain eile agus a chuid freagraí a chóipeáil.

Dé Sathairn
Bhí mé féin agus Rodrick díomhaoin inniu agus chuir Mama anonn chuig teach Mhamó muid chun an tsráid a ghlanadh di.

Dúirt Mama go n-íocfadh sí €100 i bPinginí Pá linn as gach mála bruscair a líonfadh muid. Agus dúirt Mamó go ndéanfadh sí seacláid the dúinn.

Ní raibh fonn orm bheith ag obair, ach bhí an t-airgead ag teastáil uaim. Agus bíonn seacláid the Mhamó an-bhlasta. Fuair muid rácaí agus málaí plaisteacha agus anonn linn chuig teach Mhamó.

Thóg mise taobh amháin den tsráid agus thóg
Rodrick an taobh eile. Ach tar éis deich nóiméad,
tháinig Rodrick anall chugam agus dúirt sé go
raibh mé á dhéanamh mícheart.

Dúirt sé go raibh mé ag cur i bhfad an iomarca
duilleog i ngach mála agus dá ndúnfainn an mála
níos faide síos go mbeinn críochnaithe i bhfad
níos tapa.

Anois, sin an cineál comhairle a bhíonn uait ó do dhearthair níos sine.

Tar éis do Rodrick an cleas sin a thaispeáint dom, bhí muid ag glanadh suas mar a bheadh Dia á rá linn. Rith muid amach as málaí taobh istigh de leathuair an chloig.

Ní mó ná sásta a bhí Mamó nuair a tháinig muid isteach, ach bhí an margadh déanta.

Dé Luain
Ó bhí an Lá Gairme againn, tá Rowley ag caitheamh a chuid ama ar fad le grúpa cailíní ón rang. Tá siad ar nós Altraí na Todhchaí nó rud éigin.

Ná fiafraigh díom céard air a mbíonn siad ag caint, ach ní bhíonn rud ar bith le cloisteáil uathu ach sciotaíl gháire.

Déarfaidh mé rud amháin, b'fhearr dóibh gan bheith ag caint FÚMSA.

Dúirt mé gurb é Rodrick an t-aon duine a bhfuil a fhios aige faoin rud sin a tharla dom an samhradh seo caite. Bhuel, tá a fhios ag Rowley faoi rud eile a tharla dom a bhfuil náire orm faoi, agus níl mé ag iarraidh go n-osclóidh sé a bhéal.

Nuair a bhí mé i Rang a Cúig, b'éigean dúinn scige a dhéanamh os comhair an ranga agus ba é Rowley a bhí á dhéanamh in éineacht liomsa.

Mar chuid den scige, d'fhiafraigh Rowley díom céard a dhéanfainn ar mhaithe le barra seacláide agus dúirt mé leis go seasfainn ar mo chloigeann.

Nuair a thriail mé seasamh ar mo chloigeann, thit mé siar agus chuaigh mo thóin glan díreach tríd an mballa.

Bhuel, níor bhac an scoil an poll a dheisiú, agus go dtí an lá a d'fhág mé an bhunscoil, bhí sé le feiceáil sa seomra ranga.

Má tá Rowley ag insint an scéil sin, inseoidh mise don saol mór cé a dith an Cháis.

Dé Céadaoin

Thuig mé inniu dá mbeinn ag iarraidh a fháil amach céard faoi a raibh Rowley ag caint leis na cailíní, go mbeadh orm a DHIALANN a léamh.

An fhadhb atá agam ná go bhfuil GLAS ar dhialann Rowley. Dá bhfaighinn greim féin ar an dialann ní bheinn in ann í a oscailt. Ansin smaoinigh mé nach mbeadh orm ach dialann díreach cosúil léi a cheannach ionas go mbeadh an eochair agam.

Chuaigh mé chuig an siopa leabhar tráthnóna agus b'éigean dom leath de mo Phinginí Pá a úsáid chun an dialann a cheannach. Ní dóigh liom go raibh Daid an-sásta go raibh mé ag fáil dialann "Nótaí Gleoite".

Déardaoin

Tar éis an ranga corpoideachais inniu, chonaic mé go raibh a dhialann fágtha ina dhiaidh ag Rowley. Nuair a bhí gach duine imithe amach, d'úsáid mé m'eochair chun an dialann a oscailt.

Thosaigh mé á léamh.

A Dhialann, a chara,

Chaith mé an mhaidin ag spraoi le mo dhineasáir. Bhí an bua ag T-Rex ar Triceratops mar bhain sé greim as a eireaball.

ABHA! DAMNÚ!

Ansin chas Triceratops thart agus dúirt sé bíodh an diabhal agat agus chaith sé T-Rex sa tóin.

ABHA! TÚ DÁNA

Bhreathnaigh mé go tapa tríd an gcuid eile den dialann go bhfeicfinn an raibh m'ainm in áit ar bith, ach ní raibh ann ach an tseafóid seo ar gach leathanach.

Tar éis dom an méid sin amaidí a fheiceáil, ní thuigim cén fáth a bhfuil sé mar chara agam ar aon nós.

Dé Sathairn

Tá rudaí an-mhaith sa bhaile le seachtain anuas. Tá Rodrick ar an leaba agus slaghdán air agus níl an fuinneamh aige bheith ag cur as dom. Tá Manny ag teach Mhamó agus tá an teilifís agam dom féin.

Inné, tháinig Mama agus Daid aniar aduaidh orainn nuair a dúirt siad go raibh siad ag imeacht thar oíche agus go mbeinn féin agus Rodrick i bhfeighil an tí.

Sin scéal an-mhór mar nár fhág siad mise agus Rodrick sa bhaile linn féin RIAMH.

Tá mé ag ceapadh go mbíodh faitíos orthu dá bhfágfaidís go mbeadh cóisir mhór ag Rodrick agus go scriosfaí an teach.

Ach ó tharla go bhfuil slaghdán ar Rodrick, thapaigh siad a ndeis. Nuair a bhí an léacht tugtha dúinn faoi "fhreagracht" agus "muinín", bhailigh siad leo.

A luaithe a bhí an doras dúnta, léim Rodrick
aníos agus phioc sé suas an fón. Chuir sé glaoch
ar a chairde ar fad agus dúirt sé leo go mbeadh
cóisir sa teach.

Smaoinigh mé ar ghlaoch a chur ar Mhama agus
ar Dhaid, ach ní raibh mise ag cóisir mheánscoile
riamh agus rinne mé cinneadh mo bhéal a
choinneáil dúnta.

Dúirt Rodrick liom boird a thógáil as an ngaráiste
agus cúpla mála oighir a thógáil amach as an
reoiteoir. Thosaigh cairde Rodrick ag teacht
isteach ag thart ar a 7:00, agus sul i bhfad bhí
an tsráid ar fad plódaithe le carranna.

Ba é cara Rodrick, Ward, an chéad duine a shiúil isteach. Tháinig slua eile isteach ina dhiaidh agus dúirt Rodrick liom go mbeadh tuilleadh bord ag teastáil. Amach liom sa gharáiste chun iad a fháil.

Ach a luaithe is a shiúil mé isteach sa gharáiste, chuala mé glas á chur ar an doras i mo dhiaidh.

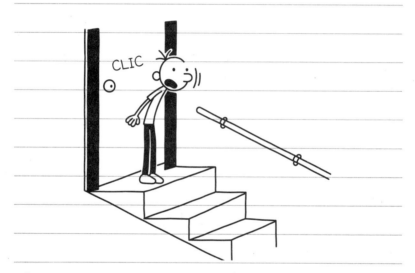

Bhuail mé ar an doras ach ní dhearna Rodrick ach an ceol a chasadh suas ionas nach gcloisfí mé. Bhí mé i sáinn cheart.

Damnú air! Ba cheart go mbeadh a fhios agam faoin am seo go ndéanfadh Rodrick a leithéid.

Nach mé a bhí soineanta ag ceapadh go mbeadh cead agam fanacht ag an gcóisir.

Ón méid a bhí mé a chloisteáil, bhí an áit fiáin. Ceapaim go raibh CAILÍNÍ ann fiú, ach ní fhéadfainn bheith cinnte mar go raibh sé an-deacair rud ar bith a dhéanamh amach ó bheith ag breathnú ar bhróga daoine.

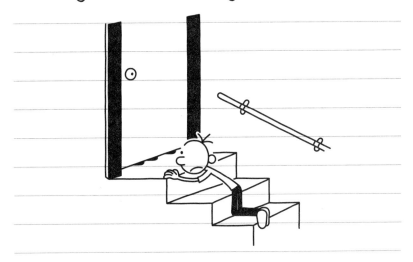

Bhí an chóisir faoi lánseoil ag a 2:00 a.m. agus b'in nuair a ghéill mé. Chaith mé an oíche ar cheann de na seanleapacha sa gharáiste gan oiread is bráillín orm. Is beag nach bhfuair mé bás den fhuacht.

Bhain duine éigin an glas den doras i lár na hoíche, mar bhí sé oscailte nuair a dhúisigh mé ar maidin. Nuair a shiúil mé isteach sa teach, bhí an chuma ar an áit go raibh stoirm tar éis é a scriosadh.

Níor fhág an duine deireanach go dtí a 3:00 an tráthnóna sin agus dúirt Rodrick go mbeadh orm cúnamh a thabhairt dó an áit a ghlanadh.

Dúirt mé le Rodrick go raibh sé as a mheabhair má cheap sé go raibh mise chun cuidiú leis. Ach dúirt seisean go mbeadh aiféala orm mura ndéanfainn.

Dúirt sé go n-inseodh sé do mo chairde ar fad faoin rud a tharla i rith an tsamhraidh mura dtabharfainn cúnamh dó.

Ní raibh mé in ann a chreidiúint go mbeadh Rodrick chomh suarach sin. Ach ní raibh an chuma air go raibh sé ag magadh agus thosaigh mé ag glanadh suas.

Bhí Mama agus Daid le bheith sa bhaile faoina 7:00 agus bhí UALACH oibre le déanamh fós againn.

Ní raibh sé éasca fáil réidh le gach lorg den chóisir mar go raibh bruscar fágtha i ngach áit. Ag pointe amháin nuair a d'oscail mé cófra sa chistin, thit pizza a bhí leathite amach as.

Faoina 6:45 bhí muid gar do bheith réidh.
Chuaigh mé suas an staighre chun cith a thógáil
agus b'in an uair a chonaic mé an teachtaireacht a
bhí scríofa ar chúl dhoras an tseomra folctha.

Thriail mé an scríbhneoireacht a ghlanadh le
galúnach agus uisce, ach chinn orm.

Bhí Mama agus Daid le bheith sa bhaile
nóiméad ar bith agus bhí mé cinnte go raibh ár
gcosa nite. Ach ansin dúirt Rodrick gur cheart
dúinn an doras a bhaint anuas agus ceann ón
ngaráiste a chur ina áit.

Fuair muid casúr agus tairní agus thosaigh muid
ag obair.

D'éirigh linn an doras a bhaint anuas sa deireadh thiar agus chroch muid amach chuig an ngaráiste é.

Ansin thóg muid seandoras as an ngaráiste agus d'iompair muid suas an staighre é.

Ní raibh muid ach díreach críochnaithe nuair a
tharraing carr Mhama agus Dhaid os comhair
an tí.

D'aithneofá orthu gur mhór an faoiseamh dóibh
nach raibh an teach dóite go talamh rompu.

Ní dóigh liom go bhfuil muid go hiomlán slán go
fóill, mar gur chaith Daid an tráthnóna ar fad
ag breathnú i ngach cúinne ar fud an tí.

Bhuel, b'fhéidir gur éirigh le Rodrick na sála a
thabhairt leis an uair seo, ach bhí an t-ádh glan
air nach raibh Manny thart. Is brathadóir
ceart é Manny. Tá sé ag insint scéalta ormsa ó
dúirt sé a chéad fhocal. Ach bhíodh sé ag faire
orm fiú sula raibh sé in ann labhairt.

Nuair a bhí mise óg, bhris mé an doras gloine sa seomra suí. Ní raibh aon fhianaise ag Mama ná ag Daid gur mise a rinne é, agus bhí liom, ach bhí Manny ann nuair a tharla sé agus d'inis sé orm dhá bhliain ina dhiaidh sin nuair a thosaigh sé ag caint.

Mar sin, nuair a thosaigh Manny ag caint, bhí faitíos an diabhail orm go n-inseodh sé dóibh faoi na rudaí ar fad a rinne mé nuair a bhí sé ina naíonán.

Bhínn féin go maith ag insint scéalta go dtí gur fhoghlaim mé mo cheacht. Uair amháin, d'inis mé ar Rodrick nuair a dúirt sé focal dána. D'fhiafraigh Mama díom cén focal a bhí i gceist agus litrigh mé amach di é.

Bhuel, cuireadh galúnach i mo bhéal as focal dána a litriú amach agus níor cuireadh pionós ar bith ar Rodrick.

Dé Luain
Tá togra Béarla le tabhairt isteach agam amárach - tá "allagóir" le scríobh agam.

Go bunúsach, sin scéal a deir rud amháin ach a bhfuil ciall eile leis. Bhí sé deacair agam teacht aníos le smaoineamh go dtí go bhfaca mé Rodrick taobh amuigh ag ní a veain.

Réabadh Ruairí
by Greg Heffley

Fadó fadó bhí moncaí ann darbh ainm Ruairí. Bhí an-ghrá ag a theaghlach dó, cé go mbíodh rudaí ina bpraiseach aige i gcónaí.

Lá amháin, bhrúigh Ruairí ar chloigín an dorais de thimpiste agus cheap gach duine gurbh in aon turas a rinne sé é. Mar sin, thug siad banana dó as an éacht.

Bhuel, bhí Ruairí ag dul thart anois ag ceapadh go raibh sé thar a bheith éirimiúil agus lá amháin chuala sé a úinéir ag rá –

Thosaigh Ruairí ag smaoineamh ar phlean.

Chaith Ruairí an lá agus an oíche ar fad ag obair agus, le scéal fada a dhéanamh gearr, ní carr deisithe a bhí mar thoradh air.

Nuair a bhí sé ar fad thart, bhí ceacht luachmhar foghlamtha ag Ruairí: Moncaí é Ruairí. Agus ní chuireann moncaithe caoi ar charranna.

CRÍOCH

Nuair a bhí mo pháipéar críochnaithe agam, thaispeáin mé é do Rodrick. Bhí barúil agam nach dtuigfeadh sé é agus bhí an ceart aam.

Mar a dúirt mé cheana, tá mé faoina ordóg ag Roderick mar gheall ar mo rún sin caithfidh mé sásamh éigin a fháil ar bhealach ar bith atá mé in ann.

Dé Céadaoin

Inniu an chéad lá a chaith Manny ag naíonra, agus is cosúil nach ndeachaigh sé go maith.

Thosaigh na páistí eile ar fad i Meán Fómhair seo caite, ach ní raibh Manny traenáilte le dul chuig an leithreas go dtí an tseachtain seo caite, agus b'in an fáth arbh éigean dó fanacht go dtí anois.

Bhí a gcóisir Shamhna ag an naíonra inniu, agus ní lá maith a bhí ann do Manny bheith ag tosú.

B'éigean do na múinteoirí fios a chur ar Mhama lena phiocadh suas.

Is cuimhin liom go maith an chéad lá a raibh mise ar naíonra. Ní raibh aithne agam ar dhuine ar bith agus bhí mé scanraithe ag na páistí eile. Ach tháinig an buachaill seo darbh ainm Quinn anall ag caint liom.

Níor thuig mé gur ag magadh a bhí sé. Níor thaitin uachtar reoite chomh mór SIN liom.

Dúirt mé le Mama nach raibh mé ag iarraidh dul ar ais ag an naíonra agus d'inis mé di céard a dúirt Quinn liom.

Ach dúirt Mama nach raibh Quinn ach ag magadh fúm agus nár cheart dom éisteacht leis.

Nuair a mhínigh sí an jóc dom, cheap mé go raibh sé an-bharrúil agus b'fhada liom go rachainn chuig an naíonra an lá arna mhárach le go n-úsáidfinn an jóc ar dhuine éigin eile.

Ach níor oibrigh sé leath chomh maith domsa.

POSFAIDH TUSA UACHTAR REOITE NUAIR A BHEIDH TÚ MÓR! HA!

MÍ NA SAMHNA

<u>Dé Luain</u>

Tá seachtain caite ó bhí an chóisir ag Rodrick agus bhí dearmad glan déanta agam faoi dhoras an tseomra folctha go dtí aréir.

Bhí Rodrick i mo sheomra ag cur as dom agus chuaigh Daid isteach sa seomra folctha. Cúpla soicind ina dhiaidh sin dúirt sé rud éigin a bhain stangadh as Rodrick.

HÉ... NACH mBÍODH GLAS AR AN DORAS SEO?

Cheap mé go raibh muid réidh. Dá bhfaigheadh Daid amach faoin doras, gheobhadh sé amach faoin gcóisir.

Ach níor chuir Daid a dó agus a dó le chéile.

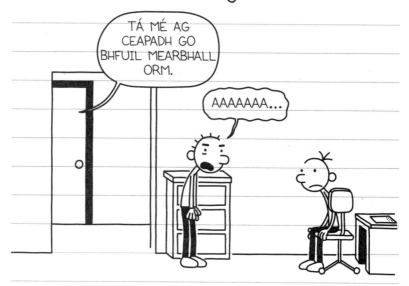

Ní drochrud a bheadh ann dá bhfaigheadh Mama agus Daid amach faoin gcóisir. Bheadh sé IONTACH dá mbeadh Rodrick i dtrioblóid. Má éiríonn liom an cat a scaoileadh as an mála i ngan fhios do Rodrick, déanfaidh mé é.

Dé Máirt
Fuair mé mo chéad litir ó mo chara pinn as an bhFrainc, Mamadou, inniu. Tá cinneadh déanta agam go bhfuil mé chun iarracht a dhéanamh leis seo agus mar sin rinne mé gach iarracht bheith cabhrach nuair a scríobh mé ar ais aige inniu.

Dear Gregory,
I am very privileged to make your acquaintance.

Mamadou

Dear Mamadou,

I'm pretty sure "aquaintance" doesn't have a "c" in it.

I really think you need to work on your English.

Sincerely, Greg

Tá sé amaideach nach ligeann Madame Lefrere dúinn ríomhphost a úsáid. Tá valach litreacha scríofa ag Albert Murphy chuig a chara pinn féin agus tá airgead mór caite aige ag ceannach stampaí.

Dear Jacques—	Dear Albert,	Dear Jacques—
How old are you?	12.	Oh.

COSTAS: €14

Dé hAoine

Anocht, chuaigh tuismitheoirí Rowley amach agus thug siad feighlí isteach chun aire a thabhairt dó.

Ní thuigim cén fáth nach féidir le Rowley aire a thabhairt dó féin, ach ní hé go bhfuilimse ag clamhsán. Is í Heather Hills feighlí Rowley agus is í an cailín is áille i meánscoil Crossland í.

Mar sin, gach uair a théann Mr agus Mrs Jefferson amach, déanaimse cinnte go mbím thuas ann in am don scéal roimh chodladh.

Chuaigh mé suas chuig Rowley ag a 8.00 anocht. Chuir mé braon cologne orm féin chun imprisean maith a dhéanamh ar Heather.

Bhuail mé ar an doras agus d'fhan mé go dtiocfadh Heather amach. Ach baineadh siar asam nuair a d'fhreagair Leland, comharsa le Rowley, an doras.

Ní chreidim go bhfuair tuismitheoirí Rowley réidh le Heather agus go bhfuair siad LELAND ina háit. Ba é an rud ba lú a d'fhéadfaidís a dhéanamh ná ceist a chur ormsa sula ndéanfaidís rud éigin seafóideach mar sin.

Nuair a thuig mé nach raibh Heather ann, chas mé ar mo sháil le dul abhaile arís. Ach d'iarr Rowley orm fanacht agus Draíocht agus Draoithe a imirt leis féin agus Leland.

An t-aon fáth a ndúirt mé go bhfanfainn ná
gur cheap mé gur cluiche físe a bhí ann. Ach
ansin fuair mé amach go n-imríonn tú é le peann
agus páipear agus go bhfuil ort do "shamhlaíocht"
a úsáid.

Mar a tharlaíonn sé, cluiche maith a bhí ann,
mar gur féidir leat rudaí a dhéanamh nach bhfuil
cead agat a dhéanamh de ghnáth.

Nuair a chuaigh mé abhaile, d'inis mé do Mhama
faoin gcluiche agus faoi chomh maith is a bhí
Leland. Chuala Rodrick mé agus dúirt sé gurb é
Leland an leadránaí is mó ar scoil.

Ní thuigim cén chaoi ar féidir leis a tabhairt leadránaí ar dhuine ar bith nuair a chaitheann sé féin an deireadh seachtaine ar fad ag cur múisc bhréige ar charranna daoine taobh amuigh den ionad siopadóireachta.

Dé Céadaoin

Téim suas chuig teach Leland anois gach uile lá chun Draíocht agus Draoithe a imirt. Bhí mé ar tí dul suas ann arís inniu nuair a stop Mama ag an doras mé.

Tá an-amhras ar Mhama faoin gcluiche seo.

Ó na ceisteanna a bhí sí a chur orm, ceapaim go gceapann sí go bhfuil Leland ag múineadh draíocht dhorcha éigin dom féin agus do Rowley. Inniu dúirt sí go raibh sí ag iarraidh dul in éineacht liom chun an cluiche a fheiceáil lena dá súil féin.

D'impigh mé uirthi gan a theacht mar go raibh a fhios agam nach dtaitneodh an foréigean ar fad atá sa chluiche léi.

Agus freisin bhí a fhios agam go millfeadh sí an t-atmaisféar dá mbeadh sí sa seomra.

Nuair a d'impigh mé uirthi gan a theacht, mhéadaigh a hamhras agus ní raibh bealach ar bith ansin go raibh mé chun a hintinn a athrú.

Ba chuma le Leland agus le Rowley sa diabhal go raibh Mama ann. Ach níor bhain mé sásamh ar bith as an gcluiche mar gur airigh mé ar nós amadáin ag imirt os a comhair amach.

UTH... CUIREANN AN DRAOI, DABHRÁN, AN FEAR FAOI GHEASA.

Cheap mé go n-éireodh Mama tuirseach den chluiche ach d'fhan sí ann. Ansin, dúirt sí go raibh SISE ag iarraidh imirt chomh maith.

Mar sin, thosaigh Leland ag cruthú carachtair do Mhama, cé go raibh mé ag iarraidh comhartha a dhéanamh leis gan é sin a dhéanamh.

Nuair a chruthaigh Leland carachtar do Mhama, dúirt sí leis go raibh sí ag iarraidh go mbeadh a carachtar siúd ina máthair ag mo charachtar sa chluiche.

Smaoinigh mé go tapa agus dúirt mé léi nach bhféadfadh sé sin tarlú mar gur dílleachta gach carachtar in Draíocht agus Draoithe.

Agus chreid sí mé. Ach ansin d'iarr sí ar Leland an t-ainm 'Mama' a thabhairt ar a carachtar siúd agus rinne sé é sin.

Lena ceart a thabhairt di, fuair sí bealach maith amach as an tsáinn a chruthaigh mé di agus d'éirigh léi an chuid eile den chluiche a mhilleadh orm.

Cé nach raibh Mama ina máthair agam sa chluiche, lig sí uirthi féin go raibh.

Ag pointe amháin sa chluiche bhí ár gcarachtair ina suí i dteach tabhairne ag fanacht ar an spiaire a theacht agus d'ordaigh mo charachtar, Gramach, pionta pórtair. Ní mó ná sásta a bhí Mama leis sin.

ÚPS, BHUAIL MAMA IN AGHAIDH GRAMACH AGUS DHOIRT SÉ A DHEOCH.

Ba é an chuid ba mheasa den chluiche ná nuair a bhí muid i mbun catha. Is é sprioc an chluiche ná an méid is mó daoine atá tú in ann a mharú le pointí a fháil agus bogadh suas trí na leibhéil.

Ach ní dóigh liom gur thuig Mama é sin.

Tar éis uair an chloig den chraic sin, d'éirigh mé as. Bhailigh mé mo chuid stuif le chéile agus bhuail mé féin agus Mama bóthar.

Ar an mbealach abhaile, bhí Mama ag rá go bhféadfadh Draíocht agus Draoithe cuidiú go mór le mo chuid scileanna mata agus stuif mar sin. Tá súil le Dia agam nach bhfuil sé ar intinn aici bheith ag imirt linn as seo amach. An chéad deis a bheidh agamsa beidh mé ag tabhairt Mama do na hOrcanna dá mbricfeasta.

Déardaoin

Tar éis na scoile inniu, thug Mama chuig an siopa leabhar mé agus cheannaigh sí gach leabhar dá raibh ann a bhain le Draíocht agus Draoithe. Chosain siad os cionn €200 agus níorbh éigean dom féin pingin ar bith a íoc orthu.

B'fhéidir nach drochrud ar chor ar bith é go bhfuil suim ag Mama inár gcluiche.

Bhí mé ar tí na leabhair ar fad a thabhairt suas chuig teach Leland nuair a thuig mé go raibh lúb ar lár.

Cheannaigh sí na leabhair ar fad ionas go bhféadfainn féin agus RODRICK an cluiche a imirt in éineacht. Dúirt sí gur bealach maith a bheadh ann chun ár ndeacrachtaí a réiteach.

Dúirt Mama le Rodrick go raibh sí ag iarraidh go mbeadh sé mar Mháistir an Phríosúin ar nós Leland. Chaith sí na leabhair ar an leaba aige agus dúirt sí leis tosú ag léamh.
Bhí sé sách dona bheith ag imirt os comhair

Mhama i dteach Leland ach bheadh sé seo míle uair níos measa.

Bhí Mama dáiríre faoi seo agus bhí a fhios agam
nach raibh aon bhealach go bhféadfainn éalú as.
Chaith mé uair an chloig thuas i mo sheomra ag
cumadh ainmneacha carachtar nach bhféadfadh
Rodrick a bheith ag magadh fúthu ar nós "Seán"
agus "Seosamh".

Nuair a bhí mé réidh, chuaigh mé féin agus
Rodrick isteach sa chistin chun an cluiche a imirt.

> TITEANN TÚ FÉIN AGUS DO
> GHRÚPA LEADRÁNAITHE ISTEACH
> I bPOLL LÁN LE DINIMÍT AGUS
> PLÉASCANN SIBH. CRÍOCH.

Is dóigh gur cheart dom bheith buíoch go
raibh sé thart chomh tapa sin. Tá súil agam gur
shábháil Mama na hadmhálacha do na leabhair.

Dé hAoine

Tá na múinteoirí ag éirí níos déine ar pháistí a bhíonn ag cóipeáil óna chéile. An cuimhin leat go ndúirt mé go raibh mé sásta bheith i mo shuí le taobh Alex Aruda sa rang mata? Bhuel ní dhearna sé sin maitheas ar bith dom i mbliana.

Is í Mrs Lee mo mhúinteoir mata agus bhí Rodrick ina dhalta aici fadó freisin agus, mar gheall air sin, coinníonn sí súil ghéar orm.

Scaití bím ag cuimhneamh gur mhaith liom súil ghloine a bheith agam mar go mbeadh sé áisiúil í a úsáid chun cleasa aisteacha a imirt ar mo chairde.

Ach bheinn in ann í a úsáid freisin chun marcanna níos fearr a fháil i mo chuid scrúduithe.

Ar an gcéad lá ar scoil dhéanfainn cinnte go mbeadh an tsúil ghloine ag breathnú síos mar seo:

SÚIL GHLOINE

SÚIL CHEART

Dhéarfainn leis an múinteoir, "Éist, tá súil ghloine agam agus ná ceap go mbím ag séitéireacht."

FADHB AR BITH. GO RAIBH MAITH AGAT AS É A RÁ LIOM.

Ansin, sa scrúdú, bheadh mo shúil ghloine ag breathnú ar mo pháipéar FÉIN agus mo shúil CHEART ar pháipéar dalta cliste éigin.

Bheinn in ann bheith ag cóipeáil agus ní thabharfadh an múinteoir faoi deara.

AN CRÉATÚR BOCHT LEIS AN tSÚIL GHLOINE.

Faraor, NÍL súil ghloine agam agus sin an leithscéal a bheidh agam nuair a fhiafróidh Mama díom cén fáth ar theip orm i mo scrúdú mata inniu.

Dé Domhnaigh

Tá Rodrick de shíor ag iarraidh airgid ar Mhama agus ar Dhaid na laethanta seo. Níl na Pinginí Pá ag oibriú amach dó. Bíonn Mama ag iarraidh air breis jabanna a dhéanamh timpeall an tí chun na pinginí a shaothrú, ach níl sé sin ag oibriú amach.

MAR SEO A DHÉANANN TÚ É?

TÁ AN tÉADACH SIN LOFA!

Ach smaoinigh Mama anocht ar bhealach a bhféadfadh Rodrick airgead a shaothrú. Tháinig litir ón scoil le rá nach mbeadh aon rang ceoil ann níos mó mar go bhfuil an maoiniú gearrtha siar agus gur cheart do thuismitheoirí ceachtanna príobháideacha a aimsiú dá gclann.

Dúirt Mama go n-íocfadh sí as ceachtanna drumaí a thabhairt DOMSA.

Ceapaim gur smaoinigh sí air seo mar go bhfuil Rodrick ag rá le gach duine le tamall anuas gur "drumadóir gairmiúil" é.

Tá seó áitiúil ar bun le coicís anuas dar teideal "Pleidhcíocht an Phobail". Tagann tuismitheoirí an cheantair ar fad le chéile chun sceitseanna grinn a chur ar stáitse.

Cúpla oíche ó shin, bhí an gnáthdhrumadóir tinn agus iarradh ar Rodrick a áit a thógáil. D'íoc siad cúig euro leis.

Ní dóigh liom go gciallaíonn sé sin gur "drumadóir gairmiúil" é Rodrick, ach d'úsáid mé é chun pointí a scóráil leis na cailíní ar scoil.

Nuair a dúirt Mama le Rodrick gur cheart dó ceachtanna drumadóireachta a thabhairt domsa, ní mó ná sásta a bhí sé. Ach dúirt Mama leis ansin go n-íocfadh sí deich euro leis as gach ceacht agus go bhféadfadh mise iarraidh ar mo chairde ceachtanna a thógáil freisin.

Anois caithfidh mise daoine a aimsiú d'Acadamh Drumadóireachta Rodrick. Agus tá a fhios agam cheana féin gur pian sa tóin a bheidh ann.

Dé Luain
Ní raibh duine ar bith de mo chairde sásta ceachtanna drumadóireachta a thógáil ach amháin Rowley. Bhí sé i gcónaí ag iarraidh foghlaim cén chaoi leis na drumaí a bhíonn acu i mbannaí máirseála a chasadh agus dúirt mise leis gurb é sin a bheadh i gceist.

Dúirt mé le Rowley go raibh mé cinnte dearfa go raibh Rodrick chun na drumaí sin a mhúineadh dúinn i seachtain a ceathair agus bhí Rowley thar a bheith sásta leis sin.

Bhí mise breá sásta nach mbeadh orm na ceachtanna a thógáil asam féin.

Tháinig Rowley ar cuairt tar éis na scoile agus chuaigh muid amach sa gharáiste don chéad cheacht. Thosaigh Rodrick amach leis na rudaí is bunúsaí.

Ní raibh ach druma amháin agus dhá bhata eadrainn chun cleachtadh a dhéanamh. B'éigean do Rowley pláta páipéir agus sceanra plaisteacha a úsáid. Sin an rud a tharlaíonn nuair a bhíonn tú mall ag cur d'ainm síos le haghaidh ranga.

Tar éis ceathrú uaire fuair Rodrick glaoch ó Ward agus chuir sé sin deireadh leis an gcéad cheacht.

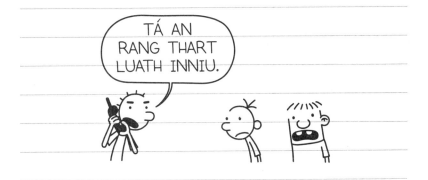

Ní mó ná sásta a bhí Mama nuair a chonaic sí mise agus Rowley istigh sa teach chomh luath sin agus chuir sí amach chuig an ngaráiste arís muid. Dúirt sí linn gan teacht isteach arís go mbeadh obair bhaile tugtha ag Rodrick dúinn. Agus rinne sé é sin.

Dé Máirt

Bhí ceacht drumadóireachta agam féin agus Rowley le Rodrick arís inniu.

B'fhéidir gur drumadóir maith é Rodrick, ach is drochmhúinteoir é. Rinne mé féin agus Rowley ár ndícheall, ach gach uair a rinne muid botún chaill Rodrick an cloigeann linn.

Bhí sé chomh tinn tuirseach den rud ar fad sa deireadh gur bhain sé na bataí dínn. Shuigh sé síos ag a chuid drumaí agus dúirt sé linn breathnú air. Thosaigh sé ag bualadh na ndrumaí. Cheap mé nach stopfadh sé choíche.

Bhí sé chomh tógtha lena chuid ceoil féin nár thug sé faoi deara nuair a d'imigh mé féin agus Rowley.

Ach níl mé ag clamhsán. Ar an gcaoi seo tá gach duine sásta.

Déardaoin

Tá aiste staire le cur isteach againn roimh shaoire na Samhna agus ní mór dom tosú air go luath.

Tá na múinteoirí ag éirí níos déine ar chaighdeán ár n-aistí agus níl an bealach a bhíodh mé ag úsáid cheana ag oibriú dom níos mó.

An tseachtain seo caite bhí aiste eolaíochta le scríobh againn agus dúirt Mrs Breckman go gcaithfeadh muid scríobh faoi ainmhí éigin. Roghnaigh mise mús. Tá a fhios agam gur cheart dom taighde a bheith déanta agam, ach rinne mé cinneadh an t-eolas a bhí agam cheana féin a úsáid.

An Mús Millteanach
le Greg Heffley

Bia: Itheann an mús mórán rudaí, ach bheadh an liosta rófhada le cur san aiste seo. Mar sin, sábhálfaidh mé trioblóid orainn ar fad agus déanfaidh mé liosta de na rudaí NACH n-itheann an mús.

GUMA COGANTA   MIOTAL   PIZZA

Cé go bhfuil gnáthóga don mhús ar fud na háite, is gearr go mbeidh gach mús marbh.

Tá a fhios ag gach duine gur éin a bhí sna múis an chéad lá riamh, díreach mar a tharla le daoine. Ach, am éigin i gcaitheamh na mblianta, d'fhás lámha ar dhaoine agus b'adharca a d'fhás ar na múis bhochta.

CRÍOCH

Cheap mé go raibh jab sách maith déanta agam, ach caithfidh sé gur saineolaí ar mhúis í Mrs Breckman, mar chuir sí iallach orm dul chuig an leabharlann agus tosú ón tús arís.

Ní bheidh mo chéad aiste eile dada níos éasca. Caithfidh mé dán faoi na blianta 1900 a scríobh do rang Mr Huff agus níl tuairim dá laghad agam faoin stair NÁ faoin bhfilíocht. Is dócha gur gá dom tosú ar an taighde.

Dé Luain
Bhí mé thuas ag teach Rowley ag imirt cluichí cláir agus tharla an rud is aistí dom. Chuaigh Rowley chuig an leithreas agus thug mé faoi deara go raibh airgead bréige ag sacadh amach as ceann de na boscaí.

Ní raibh mé in ann é a chreidiúint, mar gurb é sin an cineál céanna airgid a úsáideann Mama do na Pinginí Pá.

Nuair a chomhair mé é, bhí os cionn €100,000 ann.

Níor thóg sé ach cúpla soicind orm smaoineamh ar mo chéad chéim eile.

Nuair a shroich mé an baile, rith mé suas an staighre agus chuir mé an t-airgead i bhfolach faoin tocht ar mo leaba. Chaith mé an oíche ag iarraidh bheith ag smaoineamh ar céard a dhéanfainn mé le mo chuid airgid ar fad.

Bhí barúil agam go dtabharfadh Mama an difríocht faoi deara idir na Pingíní Pá bréige agus na cinn chearta. Mar sin, maidin inniu, thriail mé rud éigin.

D'iarr mé ar Mhama cúpla Pingin Pá a aistriú go hairgead ceart le stampaí a cheannach chun scríobh chuig mo chara pinn. Bhí mé an-neirbhíseach nuair a shín mé an t-airgead chuici.

Ach thóg sí é gan aon agó.

Ní chreidim é! Mairfidh an €100,000 seo mé go gcríochnóidh mé an scoil. B'fhéidir nach mbeadh orm fiú post a fháil ina dhiaidh sin.

Beidh orm bheith cúramach gan an iomarca a aistriú ag aon am amháin áfach, nó b'fhéidir go dtiocfadh amhras uirthi.

Agus caithfidh mé cúpla Pingin Pá ceart a shaothrú freisin nó beidh a fhios aici go bhfuil rud éigin ar siúl.

Tá mé in ann rud amháin a rá leat go cinnte, áfach, agus sin nach mbeidh mé ag caitheamh an airgid sin ar stampaí.

Fuair mé pictiúr ó mo chara pinn, Mamadou, ar an bpost inné, agus chinntigh sé sin nach mbeinn ag scríobh ar ais chuige.

Dé Máirt

Tá maiste staire le tabhairt isteach amárach agam, ach tá siad ag rá le seachtain go dtitfidh sneachta trom anocht.

Níl maiste ag cur imní ar bith orm mar sin.

Thart ar a 10:00 bhreathnaigh mé amach an fhuinneog go bhfeicfinn an raibh mórán tite go fóill. Ach níor chreid mé an t-amharc a bhí os mo chomhair amach.

Bhí mise ag brath go hiomlán ar an scoil bheith DÚNTA amárach. Chas mé air an teilifís ach bhí scéal eile ar fad ag fear na haimsire anois.

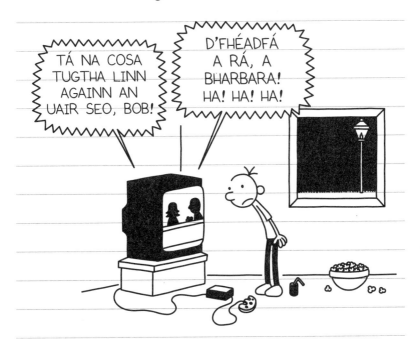

Chiallaigh sé sin go raibh máiste le déanamh agam. Ach bhí sé i bhfad ródhéanach le dul chuig an leabharlann agus níl leabhar ar bith againn sa teach a bhaineann leis na blianta 1900. B'éigean dom smaoineamh ar chleas éigin go tapa.

Ansin, tháinig mé ar phlean iontach.

Thug Daid Rodrick as sáinn go minic nuair a bhí aiste le déanamh aige. Bhí barúil agam go gcuideodh sé liomsa chomh maith.

D'inis mé dó faoin bhfadhb a bhí agam agus cheap mé go mbeadh sé ar bís cúnamh a thabhairt dom.

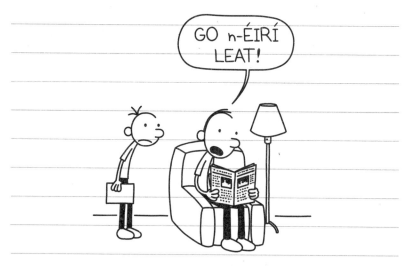

GO n-ÉIRÍ LEAT!

Chuala Rodrick mé ag labhairt le Daid agus dúirt sé liom dul in éineacht leis.

Bhí Mr Huff ag Rodrick freisin fadó agus bhí an aiste díreach céanna tugtha aige do Rodrick.

Chuaigh Rodrick ag cartadh ina chófra agus tharraing sé amach an sean-aiste. Dúirt sé liom go dtabharfadh sé dom í ar €5.

Dúirt mé leis dul i dtigh an diabhail.

Caithfidh mé a rá go raibh cathú orm, mar go raibh a fhios agam go mbeadh an aiste go maith ó tharla gurbh é Daid a scríobh dó í. Ní hamháin sin, ach bhí marc ard faighte aige agus bhreathnaigh sé deas néata istigh i bhfillteán plaisteach agus is breá leis na múinteoirí na fillteáin phlaisteacha sin.

Bhí a fhios agam freisin go raibh neart Pinginí Pá agam le híoc as.

Ach ní raibh mé in ann é a dhéanamh. Ní raibh aon fhadhb agam stuif a chóipeáil ó dhaoine eile, ach aiste a CHEANNACH, sin leibhéal eile ar fad.

Mar sin, rinne mé cinneadh cur suas leis an anró agus an aiste a scríobh mé féin.

Thosaigh mé ag déanamh taighde ar an ríomhaire, ach ag meán oíche tharla an rud is measa a d'fhéadfadh tarlú: d'imigh an chumacht.

Bhí a fhios agam ansin go raibh mé i dtrioblóid i ndáiríre. Mura dtabharfainn isteach an aiste, theipfeadh orm sa stair. B'in an uair a rinne mé cinneadh glacadh le tairiscint Rodrick.

Fuair mé €500 de Phiginí Pá agus chuaigh mé isteach chuig Rodrick. Ach ní raibh Rodrick chun scaoileadh liom chomh héasca sin.

Dúirt Rodrick go raibh sé ag iarraidh €20,000 anois i bPiginí Pá. Dúirt mé leis nach raibh sé agam agus chas sé thart agus chuaigh sé ar ais a chodladh.

Ag an bpointe sin, bhí mé i ndroch-chaoi. Fuair mé na Piginí Pá agus thug mé isteach chuig Rodrick iad. Thóg sé an t-airgead agus shín sé chugam an aiste. D'airigh mé go dona faoin rud a bhí déanta agam, ach rinne mé iarracht gan smaoineamh air agus chuaigh mé a chodladh.

Dé Céadaoin

Ar an mbus chun na scoile, thóg mé aiste Rodrick as mo mhála. Nuair a bhreathnaigh mé ar an bpáipéar bhí a fhios agam láithreach go raibh rud éigin mícheart.

I dtosach báire, ní raibh an aiste clóite. Ní hamháin sin, ach bhí sé lámhscríofa ag Rodrick.

Ansin, rith sé liom: níor thosaigh Daid ag scríobh aistí Rodrick go dtí anuraidh, rud a chiallaigh gurbh é Rodrick féin a scríobh í seo.

Thosaigh mé á léamh go bhfeicfinn an mbeinn in ann í a úsáid, ach ba léir go ndearna Rodrick níos lú taighde ná mise fiú amháin.

Céad Bliain ó Shin

le Rodrick Heffley

Uaireanta bím ag smaoineamh
Ar an saol a bhí fadó
Céard sa diabhal a bhí ann?
Cúpla asal agus bó?

An mbíodh faitíos ar na daoine
D'óiche is de ló
Ó tharla go mbíodh T-Rex ann
Nach bhfuil ann níos mó?

Ní raibh éadaí ag na créatúir
Is iad a bhíodh ag reo
Dá seasfá ar dhamhán alla
Ní dhéanfá é faoi dhó

Faraor nach bhfuil mise
In ann dul isteach sa gcró
Is eitilt siar go bhfeicfinn
Mar a bhí an saol fadó.

(F) *Tar chun cainte liom!*

D'fhoghlaim mé mo cheacht faoi aiste a cheannach ó dhuine éigin. Bhuel, nuair a deirim 'duine éigin', RODRICK atá i gceist agam.

Ní raibh rud ar bith agam don rang staire. Ciallaíonn sé sin go mbeidh ranganna breise le tógáil agam i gcaitheamh an tsamhraidh.

In olcas a chuaigh an lá ina dhiaidh sin. Nuair a shroich mé an baile bhí Mama ag faire orm.

An cuimhin leat an t-airgead sin a thug mé do Rodrick? Bhuel, thriail sé é ar fad a aistriú ag an am céanna. Bhí a fhios ag Mama go raibh rud éigin suas mar nár shaothraigh Rodrick oiread is Pingin Pá amháin riamh.

D'inis Rodrick do Mhama cá bhfuair sé an t-airgead agus chuaigh sí ag tochailt i mo sheomra go bhfuair sí an carnán billí faoin tocht. Bhí a fhios aici nár íoc sí amach €100,000 riamh agus thóg sí mo chuid airgid uilig, fiú an t-airgead ceart a bhí saothraithe agam. Glacaim leis go bhfuil deireadh leis na Pinginí Pá anois.

Le bheith fírinneach faoi, tá mé sásta ar bhealach. Bhí an t-airgead sin ar fad faoi mo thóin gach oíche ag cur an-imní orm.

Bhí Mama crosta gur thriail mé dallamullóg a chur uirthi, agus chuir sí pionós orm. Ach d'éirigh liom é sin a chur as an mbealach roimh am dinnéir.

DEIR MAMA GO gCAITHFIDH MUID AN GARÁISTE AR FAD A GHLANADH.

DAMNÚ.

Dé Domhnaigh

Ba é inniu Féile an Altaithe agus thosaigh an lá amach mar a thosaíonn i gcónaí: tháinig Aintín Loretta ag an doras dhá uair an chloig luath.

Cuireann Mama iallach orm féin agus ar Rodrick comhluadar a choinneáil le hAintín Loretta go dtagann an chuid eile de na gaolta.

Tosaíonn an bheirt againn ag troid faoi cé againn a labhróidh ar dtús léi.

Thosaigh an chuid eile de na gaolta ag teacht ag thart ar a 11:00. Ba iad deartháir Dhaid, Uncail Joe, agus a chlann an dream deireanach a tháinig ag thart ar a 12:30.

Tugann clann Uncail Joe ainm aisteach ar Dhaid.

HAIGH, AINTÍN FAINC!

Ceapann Mama go bhfuil sé gleoite, ach tá Daid cinnte go ndúirt Uncail Joe leo an t-ainm sin a thabhairt air in aon turas.

Tá teannas aisteach idir Daid agus Uncail Joe mar go bhfuil Daid fós crosta le hUncail Joe as an rud a tharla le Manny. Bhí Manny díreach tosaithe ag dul chuig an leithreas agus bhí ag éirí go maith leis.

Ach dúirt Uncail Joe rud éigin le Manny a d'athraigh gach rud.

Níor chuir Manny cos taobh istigh de dhoras an tseomra folctha arís ar feadh sé mhí.

Gach uair a d'athraigh Daid clúidín salach ar Manny ina dhiaidh sin, chloisinn é ag cur mallacht faoina anáil ar Uncail Joe.

D'ith muid an dinnéar ag thart ar a 2:00 agus ansin chuaigh gach duine isteach sa seomra suí. Ní raibh aon fhonn cainte ormsa agus chuaigh mé isteach i seomra eile chun cluichí físe a imirt.

Ní fada go raibh Daid é féin tinn tuirseach de na gaolta agus chuaigh sé amach sa gharáiste chun oibriú ar a láthair chogaidh. Ach rinne sé dearmad glas a chur ar an doras agus chuaigh Uncail Joe amach ina dhiaidh.

Bhreathnaigh Uncail Joe go raibh an-suim aige sa láthair chogaidh agus d'inis Daid dó faoi.

D'inis Daid dó faoin mbealach a bhfuil na saighdiúirí socraithe agus na cathanna a bhíonn ar bun acu.

Ach ní dóigh liom go raibh Uncail Joe ag éisteacht le Daid i ndáiríre.

Bí'n deireadh leis an lá. Chuaigh Daid suas an staighre agus chas sé suas an teas go dtí go raibh an teach chomh te nach raibh rogha ag daoine ach fágáil. Agus sin an rud a tharlaíonn lá Fhéile an Altaithe gach bliain i dteach s'againne.

MÍ NA NOLLAG

Dé Sathairn

An cuimhin leat go ndúirt mé go bhfaigheadh Mama agus Daid amach faoi chóisir Rodrick ar deireadh thiar? Bhuel, tharla sé inniu.

Chuir Mama Daid amach chun na pictiúir ó Fhéile an Altaithe a phiocadh suas agus nuair a tháinig sé ar ais bhí sé soiléir nach raibh sé sásta.

Bhí pictiúr ina lámh aige ó chóisir Rodrick.

Is cosúil gur thóg duine de chairde Rodrick grianghraf le ceamara Mhama le linn na cóisire. Bhí gach rud le feiceáil sa phictiúr sin.

Rinne Rodrick iarracht a shéanadh go raibh cóisir aige. Ach bhí gach rud le feiceáil sa ghrianghraf.

Thóg Mama agus Daid eochracha an veain ó Rodrick agus dúirt siad leis nach raibh cead aige an teach a fhágáil ar feadh MÍOSA.

Bhí siad feargach liomsa chomh maith agus chuir siad cosc orm ó chluichí físe a imirt ar feadh coicíse.

Dé Domhnaigh

Tá Mama agus Daid ag ithe an chloiginn de Rodrick gach lá ó fuair siad amach faoin gcóisir. Go hiondúil, codlaíonn Rodrick amach go dtí a 2:00 ar an deireadh seachtaine ach chuir Daid amach as an leaba é ag a 8:00 a.m. maidin inniu.

Is mór an buille é sin do Rodrick mar is breá leis a leaba. Uair amháin anuraidh, chodail Rodrick ar feadh tríocha a sé uair an chloig gan dúiseacht.

Chodail sé ó oíche Dé Domhnaigh go dtí maidin Dé Máirt agus níor thuig sé go raibh lá iomlán cailte aige go dtí an oíche sin.

Ach, breathnaíonn sé go bhfuil bealach faighte ag Rodrick timpeall ar riail nua an 8:00. Nuair a dhúisíonn Daid é, éiríonn sé amach as an leaba agus tógann sé a phluid isteach chuig an seomra suí agus codlaíonn sé ar an tolg go mbíonn sé in am dinnéir. Is dócha mar sin gur ag Rodrick atá an bua sa deireadh thiar.

Dé Máirt

Tá Mama agus Daid ag imeacht an deireadh seachtaine seo agus beidh mise agus Rodrick ag fanacht in éineacht le Daideo. Dúirt siad GO RAIBH siad chun muid a fhágáil asainn féin sa bhaile, ach gur athraigh rudaí nuair a fuair siad amach nach bhfuil muid le trust.

Tá Daideo ina chónaí in Áras Álainn. Is áit chónaithe do sheandaoine atá ann agus b'éigean dom seachtain a chaitheamh ann in éineacht le Rodrick cúpla mí ó shin agus mhill sé an samhradh ar fad orm.

Beidh Manny ag fanacht in éineacht le Mamó an deireadh seachtaine seo, agus dhéanfainn rud ar bith chun áit a bhabhtáil leis. Bíonn cófraí Mhamó lán le rudaí milse agus tá gach uile chainéal aici ar an teilifís.

Tá Manny ag dul chuig teach Mhamó mar gurb é siúd a peata. Níl ort ach breathnú ar a cuisneoir agus feicfidh tú gurb é Manny an garmhac is fearr léi.

Ach nuair a deirtear sin léi, tagann cantal aisteach uirthi.

Ach ní ar an gcuisneoir amháin atá an fhianaise. Tá péintéireachtaí agus pictiúir le Manny crochta ar fud an tí.

An t-aon rud atá ag Mamó uaimse ná nóta a scríobh mé di nuair a bhí mé sé bliana d'aois. Bhí mé ar buille léi mar nach dtabharfadh sí uachtar reoite dom roimh an dinnéar.

Choinnigh sí an nóta sin agus tá sí FÓS do mo chrá leis.

Is dócha go mbíonn peata ag gach seantuismitheoir agus tuigim é sin. Ar a laghad tá Daideo ionraic faoi.

Dé Sathairn

Bhuel, dhumpáil Mama agus Daid mé féin agus Rodrick ag teach Dhaideo inniu.

Thosaigh mé ag cuardach siamsaíochta dom féin, ach níl rud ar bith le déanamh ann agus shuigh mé síos ag breathnú ar an teilifís in éineacht leis. Ach ní bhreathnaíonn seisean ar chlár ar bith. Caitheann sé an t-am ar fad ag breathnú ar an gceamara slándála atá os comhair an tí.

Tar éis cúpla uair an chloig de sin imíonn tú craiceáilte.

> TÁ BARRY GROSSMAN IN ANN BHEITH AMUIGH AG SIÚL AR FEADH TRÍ hUAIR AN CHLOIG ACH NÍL AN tAM AIGE MO HOOVER A THABHAIRT AR AIS DOM!

Thart ar a 5:00 rinne Daideo dinnéar dúinn. Déanann sé "sailéad biolair" agus is mór an ghráin é.

Go bunúsach, is éard a bhíonn ann ná pónairí glasa agus cucamar a bhíonn bruite i bhfínéagar.

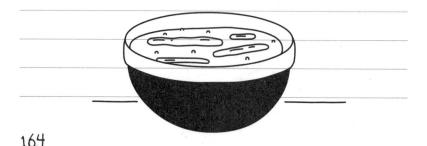

Tá a fhios ag Rodrick gur FUATH liom sailéad biolair agus an uair dheireanach a raibh muid tigh Dhaideo, chuir sé ualach amach ar mo phláta.

B'éigean dom gach uile bhlas beo de a ithe le nach ngortóinn Daideo.

Agus tomhais céard a fuair mé as mo phláta a ghlanadh?

Anocht, thug Daideo an sailéad dúinn agus lig
mé orm féin go raibh mé chun é a ithe. Ach ní
dhearna mé ach gach plaic de a chur i mo phóca
nuair nach raibh duine ar bith ag breathnú.

D'airigh mé an fínéagar fuar ag rith síos mo
chosa, ach b'fhearr liom é sin ná a bheith á ithe.

SILEADH

Tar éis an dinnéir, chuaigh an triúr againn
isteach sa seomra suí. Tá ualach seanchluichí cláir
ag Daideo agus cuireann sé iallach orm féin agus
ar Rodrick iad a imirt leis.

Tá ceann aige dar teideal "Trithí Gáire" agus
léann imreoir amháin cárta agus déanann an
t-imreoir eile gach iarracht gan tosú ag gáire.

Buaileann mise Daideo i gcónaí, ach sin mar nach dtuigim na jócanna atá ann.

Buailim Rodrick i gcónaí freisin ach sin mar gheall go gcailleann sé siúd d'aon turas. Cibé uair a bhímse ag léamh an chárta, déanann sé cinnte go mbíonn a bhéal lán le bainne.

Faoina 10:00, bhí mé réidh le dul a chodladh.
Ach bhí Rodrick ar an tolg. Bhí orm an leaba a
roinnt le Daideo arís.

Déarfaidh mé rud amháin, má bhí Mama agus
Daid ag iarraidh ceacht a mhúineadh dom as
clúdach do Rodrick, d'éirigh leo.

CUIR MO
CHUID FIACLA
SA GHLOINE.

Dé Domhnaigh

Tá tionscnamh eolaíochta le tabhairt isteach ag
Rodrick díreach roimh shaoire na Nollag agus
breathnaíonn sé go bhfuil Mama agus Daid ag cur
iallach air an ceann seo a dhéanamh as féin.

Anuraidh, ba é "An mbíonn Smaointe Foréigneacha ag Daoine a Fhéachann ar Scannáin le Foréigean iontu?" teideal an tionscnaimh.

Is dócha gurbh é an smaoineamh a bhí taobh thiar de ná go mbreathnódh daoine ar scannáin scanrúla agus go dtarraingeoidís pictiúir ina ndiaidh den bhealach a chuir na scannáin as dóibh.

Ach, i ndáiríre, ní raibh ann ach leithscéal ag Rodrick agus ag a chairde chun breathnú ar ualach scannáin uafáis ar oícheanta scoile.

D'éirigh le Rodrick agus a chairde breathnú ar na scannáin, ach níor tharraing siad oiread is pictiúr amháin. Agus an oíche roimh an spriocdháta, ní raibh rud ar bith ag Rodrick le tabhairt isteach.

Mar sin, b'éigean dom féin, do Mhama agus do Dhaid teacht i gcabhair ar Rodrick. Chlóscríobh Daid an tionscnamh, rinne Mama an stuif cairtchláir agus b'éigean domsa sraith pictiúr a tharraingt.

Rinne mé mo dhícheall a shamhlú céard a tharraingeodh déagóirí tar éis dóibh breathnú ar scannáin uafáis.

An rud BA MHEASA AR FAD ná go raibh Mama corraithe liom nuair a chonaic sí na pictiúir. Dúirt sí gurbh "ábhar imní" di iad. Agus ba é sin an fáth nach raibh cead agam breathnú ach ar scannáin do pháistí don chuid eile den bhliain.

Ach, má bhí "ábhar imní" aici, ba iad na pictiúir a bhí Manny a tharraingt ba chúis leis.

Oíche amháin d'fhág Rodrick ceann de na
scannáin uafáis sa seinnteoir DVD agus nuair a
chas Manny air an teilifís an mhaidin dar gcionn,
ba é scannán Rodrick a chonaic sé.

Chonaic mé cúpla ceann de phictiúir Manny ina
dhiaidh sin agus bhí drochbhrionglóidí agam féin
ina ndiaidh.

Shocraigh Mama agus Daid go mbeadh ar Rodrick an téama dá thionscnamh eolaíochta a thabhairt dóibh faoina 6:00 tráthnóna.

Ach faoina 6:45 ní raibh rudaí ag breathnú go maith.

Bhí Rodrick ag breathnú ar chlár faoi spásairí.

De réir an chláir, tagann síneadh ar a gcnámh droma de bharr an easpa domhantharraingte thuas sa spás.

Bhuel, thug sé sin an smaoineamh a bhí uaidh do Rodrick.

Dúirt Rodrick go raibh sé chun a thionscnamh eolaíochta a dhéanamh ar an éifeacht a bhíonn ag an easpa domhantharraingthe ar an gcnámh droma. Agus ón gcaoi a raibh Rodrick ag caint, cheapfadh duine ar bith go raibh torthaí a thionscnaimh chun leas a dhéanamh don chine daonna.

Bhí Daid an-tógtha leis an smaoineamh. Nó seans gur faoiseamh a bhí ann dó go raibh smaoineamh ar bith ag Rodrick. Ach ceapaim go raibh athrú intinne aige níos déanaí nuair a d'iarr sé ar Rodrick an bruscar a chur amach.

Dé Céadaoin

Inné ar scoil, d'fhógair siad go mbeadh éisteachtaí ann do Sheó Talainne an Gheimhridh.

An nóiméad a chuala mé faoi, tháinig mé aníos le smaoineamh IONTACH do sceitse grinn a dhéanfadh mé féin agus Rowley. Ach, le bheith fírinneach, is é an fáth i ndáiríre gur scríobh mé é ná chun deis a thabhairt dom labhairt le Holly Hills, deirfiúr le Heather Hills agus an cailín is dathúla i mo rang.

CREIDIÚINTÍ

SCRÍBHNEOIR - GREG HEFFLEY
STIÚRTHÓIR - GREG HEFFLEY
DAID - GREG HEFFLEY
MAMA - HOLLY HILLS
BUACHAILL/MADRA - ROWLEY
JEFFERSON

Thaispeáin mé an script do Rowley, ach ní raibh sé róthógtha leis an smaoineamh.

Cheapfá go mbeadh sé buíoch go raibh mé chun réalta mhór a dhéanamh de. Ach, mar a deir Mama go minic, tá daoine ann nach féidir a shásamh.

Déardaoin

D'imigh Rowley agus fuair sé páirtí EILE don
Seó Tallainne. Tá sé chun cleas draíochta a
dhéanamh leis an mbuachaill seo óna rang karate
darb ainm Scotty Douglas.

Agus má cheapann tú go bhfuil éad orm, tá dul
amú ort. Tá Scotty Douglas sa BHUNSCOIL.
Beidh an t-ádh ar Rowley mura mbuailfear an cac
as mar gheall air sin.

Tá siad chun seó mór tallainne amháin a bheith
acu do na ranganna ar fad. Mar sin, beidh
Rowley agus Scotty Douglas i gcomórtas le
Rodrick agus a bhanna ceoil.

Tá Rodrick ag tnúth go mór leis an seó
tallainne. Níor chas a bhanna os comhair slua
riamh cheana agus seo é a ndeis mhór.

Tá cosc ar Rodrick go fóill an teach a fhagáil agus, mar sin, bíonn an banna ag cleachtadh sa gharáiste gach lá. Tá mé ag ceapadh go bhfuil aiféala anois ar Dhaid faoi phionós Rodrick.

BA-DOM BOM
CRAIS BAM

Má cheapann banna Rodrick go mbeidh siad in ann an seó tallainne seo a bhuachan i ndáiríre, beidh orthu tosú ag casadh ceoil. Chaith siad an deireadh seachtaine seo caite ar fad ag méiseáil thart le huirlis mhacalla nua a bhí faighte acu.

CAC ASAIL
CAC ASAIL
CAC ASAIL CAC ASAIL
CAC ASAIL CAC ASAIL

Dé hAoine

Chuir Daid deireadh le pionós Rodrick coicís roimh am. Bhí sé bréan de bheith ag éisteacht le Klujeen Lawn ag cleachtadh. Mar sin, chuaigh Rodrick chuig teach a chara, Ward, don deireadh seachtaine.

Ó tharla Rodrick bheith imithe, tá an garáiste agam dom féin. Mar sin, thug mé cuireadh do Rowley teacht ar cuairt don oíche.

Thug Rowley leis a theilifís bheag. D'éirigh linn cúpla ceann de scannáin uafáis Rodrick a aimsiú agus bhí muid ar tí tosú ag breathnú orthu nuair a tháinig Mama amach le Manny.

BREATHNAIGH CÉ ATÁ ANSEO!

An t-aon fáth a raibh Mama ag iarraidh go mbeadh Manny in éineacht linn ná go bhféadfadh sé bheith ag coinneáil súil orainn.

Gach uair a d'fhan cara liom thar oíche, mhill Manny orm é. Ba é an uair dheireanach a d'fhan Rowley sa teach an uair ba mheasa ar fad.

D'airigh Manny fuar i lár na hoíche agus shleamhnaigh sé isteach i mála codlata Rowley chun é féin a théamh.

Scanraigh an eachtra Rowley agus d'imigh sé abhaile. Níor chodail sé sa teach riamh ó shin.

Bhí cuma ar an scéal go raibh Manny chun oíche EILE a mhilleadh orainn. Ní fhéadfadh muid breathnú ar scannáin uafáis dá mbeadh Manny ann agus thosaigh muid ar cluichí cláir a imirt.

Ach tá mé tinn tuirseach de chluichí cláir agus, ar aon nós, bhí Rowley do mo chur soir.

B'éigean dó dul chuig an leithreas gach cúig nóiméad agus nuair a thagadh sé ar ais chiceáladh sé piliúr trasna an tseomra.

Bhí sé greannmhar ar dtús, ach ansin thosaigh sé ag cur as dom. Mar sin, rinne mé cinneadh cleas a imirt air.

Chuir mé ceann de mheáchain Dhaid isteach faoin bpiliúr. Agus, go deimhin, nuair a tháinig Rowley isteach arís, scaoil sé cic mhór air.

Thosaigh Rowley ag bladhrach mar a bheadh naíonán ann.

Chuala Mama é. Anuas an staighre léi go bhfeicfeadh sí céard a bhí air.

Bhreathnaigh sí ar ordóg Rowley agus tháinig an-imní uirthi. Tá mé ag ceapadh go raibh Mama neirbhíseach faoi Rowley bheith sa teach tar éis an méid a tharla leis an Roth Mór agus thiomáin sí abhaile é.

Bhí mise breá buíoch nár iarr sí céard a tharla.

A luaithe is a d'fhág Mama agus Rowley an teach,
bhí a fhios agam go mbeadh orm oibriú ar Manny.

Chonaic Manny mé ag cur an mheáchain faoin
bpiliúr. Bhí a fhios agam go n-inseodh sé gach
rud do Mhama. Ach bhí phlean agamsa chun é
a stopadh.

Phacáil mé cúpla mála. Dúirt mé le Manny go
raibh mé ag imeacht go deo. Bhí náire an
domhain orm faoin méid a bhí déanta agam.

Amach an doras liom, gan féachaint siar, fiú.

Fuair mé an smaoineamh sin ó Rodrick. D'imríodh sé an cleas céanna sin ormsa nuair a bhíodh drochrud déanta aige féin agus nuair nach raibh sé ag iarraidh go sceithfinn air. Ligeadh sé air féin go raibh sé ag imeacht agus cúig nóiméad ina dhiaidh sin thagadh sé ar ais.

Faoin am sin, bheinn réidh le rud ar bith ar domhan a mhaitheamh dó.

Mar sin, tar éis dom slán a fhágáil ag Manny, d'fhan mé taobh amuigh den doras ar feadh cúpla nóiméad. Agus nuair a d'oscail mé an doras, bhí mé ag súil go bhfeicfinn é ag caoineadh ar an urlár. Ach ní raibh Manny le feiceáil. Chuaigh mé á chuardach agus tomhais cá raibh sé.

Bhí sé amuigh sa gharáiste ag ithe mo chuid milseán.

Más iad mo chuid milseán an praghas atá le híoc agam as béal Manny a choinneáil dúnta, bíodh aige.

Dé Sathairn

Nuair a chonaic mé éadan Mhama ar maidin, bhí a fhios agam go raibh an scéal ar fad inste ag Manny di.

D'inis Manny gach rud do Mhama. D'inis sé di faoi na scannáin uafáis fiú amháin.

Chuir Mama iallach orm glaoch ar Rowley chun mo leithscéal a ghabháil leis agus ansin chuir sí iallach orm labhairt lena thuismitheoirí chun mo leithscéal a ghabháil LEO SIÚD. Ní dóigh liom go mbeidh cuireadh agam chuig teach Rowley go ceann tamaill.

Ansin labhair Mama le Mrs Jefferson agus dúirt Mrs Jefferson léi go raibh ordóg coise Rowley briste agus nach bhféadfadh sé siúl uirthi go ceann seachtaine.

Dúirt sí go raibh croí Rowley briste mar go gcaillfeadh sé na héisteachtaí don Seó Tallainne. Agus bhí an tseachtain ar fad caite aige ag cleachtadh in éineacht le Scotty Douglas.

Ansin dúirt Mama go mbeinnse breá sásta áit Rowley a thógáil sna héisteachtaí. Thosaigh mé ag tarraingt ar mhuinchille Mhama le cur in iúl di gur DROCHSMAOINEAMH amach is amach a bhí ansin, ach níor thug sí aird ar bith orm.

Nuair a chríochnaigh Mama ar an bhfón, dúirt mé léi gurb é an rud deireanach a bhí uaim ar scoil ná bheith ar stáitse le buachaill nach raibh dhá lá fliuch amach as an gcliabhán.

Ach chuir Mama iallach orm é a dhéanamh ar aon nós. Thug sí chuig teach Scotty mé agus mhínigh sí an scéal dá mháthair. Anois ní raibh aon dul as agam.

Thug Mrs Douglas cuireadh isteach dom agus chuaigh mé féin agus Scotty suas go dtí a sheomra chun tosú ag cleachtadh. Bhuel, an chéad rud a fuair mé amach ná gurb é Scotty atá i gceannas agus go raibh Rowley ina CHÚNTÓIR ag Scotty.

Dúirt mé le Scotty nach raibh bealach ar bith ann go mbeinn i mo chúntóir ag buachaill bunscoile. Ach dúirt Scotty go mba leisean na huirlisí draíochta agus thosaigh sé ag cailleadh an chloiginn.

D'aontaigh mé leis ar mhaithe lena chiúnú agus níor theastaigh uaim tuilleadh trioblóide a tharraingt orm féin.

Ansin shín Scotty léine lonrach chugam agus dúirt sé go mbeadh orm í a chaitheamh.

Bhí an léine cosúil le rud éigin a chaithfeadh mo
Mhamó agus dúirt mé le Scotty gurbh fhearr liom
rud éigin níos cúláilte a chaitheamh ach thug sé
an chluas bhodhar dom.

Ar aon nós, is cosúil nach bhfuil le déanamh agam
ach uirlis a shíneadh chuig Scotty anois is arís.
Níl sé ródhona bheith á dhéanamh os comhair
deirfiúirín Scotty, ach scéal eile ar fad a bheidh
sna héisteachtaí.

Dé Domhnaigh
Bhuel, rud AMHÁIN maith atá tagtha as ná
go bhfuil neart smaointe nua agam anois do
ghreannáin "Clád an Cladhaire".

D'éirigh Rowley as a ghreannán "Zú-Wí Mama!" do nuachtán na scoile cúpla mí ó shin mar go raibh sé ag iarraidh tuilleadh ama a chaitheamh ag spraoi lena chuid dineasár plaisteach. Ciallaíonn sé sin go bhfuil an post don chartúnaí oscailte arís agus b'fhéidir go mbeadh seans agam air.

Dé Luain

Bhuel, tá dea-scéala agam faoin Seó Tallainne.
Bhí na héisteachtaí ann inniu agus níor éirigh
liom féin ná le Scotty dul tríd.

Cinnte d'fhéadfadh jab níos fearr a bheith
déanta agam mar chúntóir ag Scotty. Ach ní
d'aon turas a theip orm. Níl ann ach nár éirigh
liom a chuid uirlisí a shíneadh aige uair nó dhó.

Muide an t-aon dream nár éirigh leo cáiliú don
Seó agus tá sé sin cineáilín náireach.

Tá a fhios agam nach muid ab fhearr a bhí ann,
ach cinnte ní muid ba mheasa ach an oiread. Bhí
cuid den dream ar éirigh leo uafásach ar fad.

D'éirigh leis an mbuachaill bunscoile seo, Harry Gilbertson, dul tríd agus ní dhearna sé ach scátáil timpeall ar challaire as a raibh "Peigín Leitir Móir" ag bladhrach.

D'éirigh le banna Rodrick dul tríd freisin agus shílfeadh duine ar bith go raibh an rud ar fad buaite aige.

Mar a dúirt mé cheana, tá sceitimíní ar Rodrick faoi Sheó Tallainne an Gheimhridh. Mar a tharlaíonn sé, chríochnaigh sé a thionscnamh eolaíochta luath ionas go bhféadfadh sé am a bheith aige chun cleachtadh don seó.

Ach nuair a shín sé isteach a thionscnamh, dúirt a mhúinteoir go mbeadh air tosú ón tús arís agus teacht aníos le smaoineamh iomlán nua. Dúirt sé nár úsáid Rodrick an "modh eolaíoch" agus nach raibh hipitéis agus tátal agus rudaí mar sin aige.

Dúirt Rodrick leis an múinteoir gur fhás sé aon sédéagú d'orlach le linn a thurgnaimh agus gur chiallaigh sé sin go raibh rud éigin ann.

Ach dúirt a mhúinteoir gurbh é sin an gnáthmhéid a fhásann déagóir in aon mhí amháin.

Bhuel, sin drochscéal domsa. Bhí sé i gceist agamsa an tionscnamh céanna a dhéanamh an chéad bhliain eile.

Is cosúil gur cur amú ama a bhí sa taighde ar fad a bhí déanta agam.

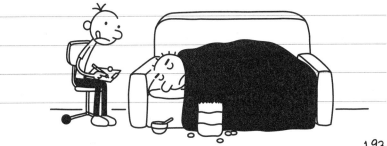

Dúirt Daid le Rodrick nach bhféadfadh sé an
Seó Tallainne a dhéanamh mar go mbeadh air
bheith ag obair ar thurgnamh nua.

Dúirt Rodrick le Daid gur cuma leis faoin scoil
agus go bhfuil sé i gceist aige an Seó Tallainne
a bhuachan. Dar leis, d'fhéadfadh sé conradh a
fháil le lipéad ceoil mar thoradh air agus chiallódh
sé sin go bhféadfadh sé an scoil a fhágáil agus
bheith ina cheoltóir lánaimseartha.

Ceapaim féin gur drochsmaoineamh amach is amach
é, ach tá cuma ar an scéal go bhfuil Daid sásta
go maith leis an bplean.

Dé Céadaoin

Anocht a bhí Seó Tallainne an Gheimhridh ann.
Ní raibh aon fhonn ormsa ná ar Dhaid dul ann.
Ach chuir Mama iallach orainn tacú le Rodrick.

D'imigh Mama agus Rodrick luath mar go raibh
stuif le tabhairt chuig an scoil acu don bhanna.
B'éigean do Dhaid dul sa veain ansin in éineacht
le Bill. Agus ní mó ná sásta a bhí Daid nuair a
casadh a bhainisteoir air i gcarrchlós na scoile.
Thosaigh an seó ag a 7:00 agus níl aon amhras

ach gur drochsmaoineamh a bhí ann an naíonra,
an bhunscoil agus an mheánscoil a bheith in
éineacht.

Bhí páistí naíonra ag canadh amhráin lena mbábóga agus ansin déagóirí ag casadh ceol miotail ar luas lasrach.

Ní dóigh liom go raibh Daid an-tógtha le Larry Larkin agus a chuid fáinní cluaise. Leathbealach trí amhrán Larry, chuir Daid cogar i gcluas an fhir a bhí lena thaobh.

Faraor nach raibh seans agam a rá le Daid go
raibh sé ag labhairt le hathair Larry.

"HAIGH, A DHAID!"

Fadhb eile leis na trí scoil a bheith in éineacht ná
go ndeachaigh an seó ar aghaidh is AR AGHAIDH.

Ag a 9:30, rinne siad cinneadh dhá dhream a chur
ar stáitse ag an am céanna chun rudaí a bhogadh
ar aghaidh níos tapúla. Bhí sé togha in amanna,
ar nós nuair a bhí Patty Farrell ag damhsa agus
Spencer Kitt i mbun lámhchleasaíochta. Ach in
amanna eile bhí sé uafásach, ar nós nuair a bhí
Terrence James ag casadh orgán béil agus é ar
aonrothach fad a bhí Charisse Kline ag léamh a
dáin amach faoi théamh domhanda.

Ba iad banna Rodrick an dream deireanach a bhí
ar stáitse.

Roimh an seó, d'iarr Rodrick orm an banna a thaifeadadh agus dúirt mé leis nach ndéanfainn é.

Tá sé ag caitheamh chomh gránna sin liom le déanaí nach bhféadfainn a chreidiúint go raibh sé ag iarraidh gar orm. Dúirt Mama mar sin go ndéanfadh sí féin é.

Bhí banna Rodrick ar stáitse ag an am céanna le Harry Gilbertson, an páiste a bhí ag scátáil. Agus ní mó ná sásta a bhí Rodrick faoi sin.

Thug mé faoi deara nach raibh Daid le mo thaobh ansin.

Bhí Daid ar chúl an halla le cadás ina chluasa le nach gcloisfeadh sé an ceol.

Nuair a bhí banna Rodrick críochnaithe, thug siad amach na duaiseanna agus ní bhfuair banna Rodrick rud ar bith. Ach d'éirigh le Harry Gilbertson an duais don "Siamsóir is Fearr" a fháil.

Ach ní thomhaisfeá go deo cé a fuair Duais na hÓiche: Feighlí Rowley, Leland.

Fuair sé an duais as an bpíosa bolgchainte a rinne sé agus dúirt na moltóirí go raibh sé "an-oiriúnach do pháistí".

Níor cheap mé go n-aontóinn le Rodrick ar rud ar bith go deo, ach tá mé ag ceapadh go raibh sé ceart nuair a dúirt sé gur leadránaí é Leland

Tar éis an tseó, tháinig banna Rodrick ar ais chuig an teach.

D'fhéach siad ar an bhfíseán dá dtaispeántas ar stáitse.

Ba é an plean a bhí acu ná an fhístéip a sheoladh chuig comhlachtaí ceoil agus mheas siad go mbeadh a dtallann soiléir go maith don té a bheadh ag breathnú uirthi.

Shuigh siad uilig os comhair na teilifíse agus chas siad air an fhístéip. Thóg sé thart ar thríocha soicind orthu a thabhairt faoi deara nach raibh maitheas ar bith san fhístéip.

Ba í Mama a bhí ag taifeadadh agus rinne sí sárjab den scannánú, ach chaith sí an t-am ar fad ag caint agus bhí gach rud le cloisteáil ar an téip.

BREATHNAÍONN RODRICK CHOMH TANAÍ SA LÉINE SIN!

SLÁNDÁIL

Gach uair a chuir Bill amach a theanga mar a bheadh réalta rac ann, bhí rud éigin le rá ag Mama faoi.

NÍ MAITH LIOM É SIN!

An t-aon uair a stop sí ag caint ná nuair a bhí Rodrick ag déanamh a phíosa aonair ar na drumaí. Ach le linn an phíosa sin, bhí an ceamara ag bogadh thart chomh mór nach raibh rud ar bith le feiceáil.

I dtosach, bhí Rodrick agus an chuid eile acu thar a bheith crosta. Ach ansin chuimhnigh duine acu gur thaifead an scoil an seó agus go mbeadh sé ar an gcainéal teilifíse áitiúil san oíche amárach.

Is dócha go gciallaíonn sé sin go mbeidh siad uilig thart arís tráthnóna amárach ag breathnú air.

<u>Déardaoin</u>

Bhuel, tá rudaí faighte AN-DONA domsa le
cúpla uair an chloig anuas.

Tháinig Rodrick agus an chuid eile den bhanna
ag thart ar an 7:00 chun breathnú ar an Seó
Tallainne ar an teilifís. Bhreathnaigh siad ar na
trí uair an chloig de ag fanacht go mbeidís féin
le feiceáil.

Bhí jab sách maith déanta ag an scoil den
taifeadadh agus bhreathnaigh rudaí go breá go dtí
gur thosaigh píosa aonair Rodrick ar na drumaí.

Sin an uair a thosaigh Mama ag damhsa agus
dhírigh an ceamara isteach uirthi siúd don chuid
eile den amhrán.

Chiallaigh sé sin nach raibh rud ar bith ag Rodrick le seoladh chuig na comhlachtaí ceoil agus bhí sé ar mire.

I dtosach báire, bhí sé feargach le Mama as praiseach a dhéanamh de rudaí, ach dúirt sise mura mbeadh sé ag iarraidh go mbeadh daoine ag damhsa nár cheart dó bheith ag casadh ceoil.

Ansin dúirt Rodrick gur ORMSA a bhí an milleán mar gur dhiúltaigh mé an seó a thaifeadadh.

Ach dúirt mise leis nach mbeadh fadhb ar bith agam é sin a dhéanamh murach gur leibide é.

Thosaigh muid ag béiceach ar a chéile. Tharraing Mama agus Daid óna chéile muid agus dúirt siad linn dul isteach inár seomraí.

Ach cúpla uair an chloig ina dhiaidh sin, casadh
Rodrick orm sa chistin agus meangadh ar a éadan.
Bhí a fhios agam ansin gur tharla rud éigin.

Dúirt sé go raibh "an cat scaoilte as an mála".

Ar dtús, ní raibh a fhios agam céard a bhí i
gceist aige. Ach ansin thuig mé: bhí sé ag caint
ar an rud a tharla dom an samhradh seo.

Rith mé isteach ina sheomra go bhfeicfinn an raibh
aon ghlaoch déanta aige. Agus go deimhin bhí.
Chuir sé glaoch ar gach cara leis a raibh deartháir
nó deirfiúr acu a bhí ar an aois chéanna liomsa.

Faoi mhaidin amárach beidh an scéal ar eolas ag
GACH UILE DHUINE ar scoil. Agus tá mé
cinnte gur chuir Rodrick a dhá oiread leis an scéal
chun rudaí a dhéanamh NÍOS MEASA FÓS dom.

Anois agus an scéal amuigh, tá mé ag iarraidh go mbeadh an scéal ceart ar an taifead agus ní an leagan áiféiseach atá ag Rodrick.

Seo linn mar sin.

Le linn an tsamhraidh, b'éigean dom féin agus do Rodrick fanacht in éineacht le Daideo in Áras Álainn ar feadh cúpla lá. Ach ní raibh RUD AR BITH le déanamh agus bhí mé ag dul as mo mheabhair.

Bhí mé chomh bréan den áit gur thóg mé amach mo sheandialann agus thosaigh mé ag scríobh inti. Ach ba BHOTÚN MÓR a bhí ann leabhar le "dialann" scríofa ar an gclúdach a thógáil amach os comhair Rodrick.

Sciob Rodrick an dialann uaim agus d'éalaigh sé
léi. Bheadh a bhealach déanta aige chomh fada
leis an seomra folctha murach go raibh duine éigin
tar éis cluiche cláir a fhágáil ar an urlár.

Phioc mé an leabhar den urlár agus rith mé síos
an staighre. Ansin chuaigh mé isteach i gceann de
na leithris phoiblí taobh amuigh.

Choinnigh mé mo chuid cosa den urlár ionas nach
bhfeicfeadh Rodrick mé dá mbreathnódh sé faoin
doras.

Bhí a fhios agam dá bhfaigheadh Rodrick greim
ar mo dhialann go mbeinn réidh. Mar sin, stróic
mé an leabhar ina phíosaí agus chaith mé na
píosaí síos sa leithreas. B'fhearr an rud a scrios
ná ligean do Rodrick greim a fháil air.

Ach a luaithe a thosaigh mé ag stróiceadh
leathanaigh as an leabhar, chuala mé an doras
á oscailt. Cheap mé gurbh é Rodrick a bhí ann
agus d'fhan mé chomh ciúin le luch.

Níor chuala mé rud ar bith agus bhreathnaigh mé
os cionn dhoras an leithris agus chonaic mé bean
ag cur smididh uirthi féin os comhair an scátháin.

Cheap mé go raibh sí tagtha isteach i leithreas
na bhfear de thimpiste, mar go ndéanann na
seandaoine in Áras Álainn rudaí mar sin i gcónaí.

Bhí mé ar tí insint don bhean go raibh sí sa seomra folctha mícheart nuair a shiúil duine eile isteach. Agus ní chreidfidh tú é seo, ach ba bhean í seo freisin.

B'in nuair a thuig mé gur MISE a bhí sa seomra folctha mícheart.

Bhí mé ag guí nach raibh le déanamh acu ach a lámha a ní agus go n-imeoidís ar an bpointe, ach shuigh siad síos sa dá leithreas ar an dá thaobh díom. Gach uair a d'fhág bean amháin, tháinig bean eile isteach ina háit. Bhí mé i sáinn.

Má cheap Rowley go raibh an saol go dona nuair b'éigean dó an Cháis a ithe, ba cheart dó uair go leith a chaitheamh i leithreas na mban.

Caithfidh sé gur chuala duine éigin mé istigh ann agus gur chuir siad fios ar an ngarda slándála. Ba ghearr go raibh an scéal ar fud na háite go raibh "slíomadóir" ag faire ar na mná sa leithreas.

Faoin am ar tháinig an fear slándála, ní raibh duine in Áras Álainn nach raibh ina sheasamh ag doras an tseomra folctha. Agus chonaic Rodrick an rud ar fad ag tarlú ar theilifís Dhaideo.

Anois agus an scéal amuigh, bhí a fhios agam nach bhféadfainn dul ar scoil. Dúirt mé le Mama go mbeadh orm aistriú chuig scoil eile agus d'inis mé di cén fáth.

Dúirt Mama nár cheart dom imní a dhéanamh faoi céard a cheapann daoine eile. Dúirt sí go dtuigfeadh mo chuid cairde gur "botún ionraic" a bhí ann.

Cruthaíonn sé sin amach is amach nach bhfuil tuairim dá laghad ag Mama faoi dhaoine óga.

Tá aiféala orm anois nár choinnigh mé suas an cairdeas le Mamadou. B'fhéidir dá mbeadh muid fós i dteagmháil lena chéile go bhféadfainn dul chun na Fraince ar feadh cúpla bliain.

Rud amháin nach bhfuil mé ag iarraidh, agus sin dul ar scoil amárach. Agus tá cuma ar an scéal nach bhfuil an dara rogha agam.

Dé hAoine

Tharla an rud is AISTÍ inniu. Nuair a shiúil mé isteach doras na scoile tháinig cúpla buachaill thart orm agus fuair mé faoi réir don mhagadh. Ach in áit bheith do mo chrá, bhí siad ag déanamh COMHGHAIRDIS liom.

Bhí gach duine ag croitheadh lámh liom agus ní raibh tuairim dá laghad agam cén fáth.

Agus an méid sin daoine ag caint ag an aon am amháin, ní raibh mé in ann ciall ar bith a bhaint as an méid a bhí ag tarlú. Ach caithfidh sé gurbh é seo a thit amach.

D'inis deartháireacha agus deirfiúracha chairde Rodrick an scéal dá gcuid cairde siúd.

Ach faoin am a raibh an scéal scaipthe, bhí na sonraí measctha suas.

Mar sin, d'athraigh an scéal ó mise a bheith sa seomra folctha in Áras Álainn go mise a bheith i seomra feistis na gcailíní i Meánscoil Crossland.

Ní raibh mé in ann é a chreidiúint, ach ní raibh mise chun an scéal a chur ina cheart.

Go tobann, bhí mé i mo laoch ar scoil. Bronnadh leasainm orm fiú. Thosaigh daoine ag tabhairt "An tArdslíomadóir" orm.

Rinne duine éigin banda cinn dom fiú le mo leasainm air agus ba mé a bhí bródúil á chaitheamh. Ní tharlaíonn rudaí mar seo domsa RIAMH agus bhí mé chun sásamh ceart a bhaint as.

Den chéad uair riamh, d'airigh mé gur mise an dalta ba mhó a raibh tóir air ar scoil.

Faraor ní raibh na cailíní chomh tógtha liom is a bhí na buachaillí. Déanta na fírinne, ní dóigh liom go rachaidh duine ar bith acu amach liom go deo.

<u>Dé Luain</u>

Tá a fhios agat an chaoi a raibh Rodrick ag iarraidh go mbeadh eolas ag gach duine ar a bhanna ceoil? Bhuel, tá sé sin tarlaithe anois.

Cheap duine éigin go raibh an físeán le Mama ag damhsa ann thar a bheith greannmhar agus tá sé ar fud an idirlín anois. Agus tá aithne ag gach duine ar Rodrick Heffley anois mar an drumadóir san fhíseán "Mama ag Damhsa".

Tá Rodrick imithe i bhfolach agus é ag súil go gearr go ndéanfaidh daoine dearmad ar an rud ar fad. Tá beagán trua agam dó fiú.

Tá daoine ag magadh fúmsa mar gheall ar an bhfíseán freisin ach ar laghad níl mé le feiceáil ann.

Agus cé gur féidir le Rodrick bheith ina amadán aisteach scaití, is é mo dhearthár é.

Beidh an tAonach Eolaíochta ar siúl amárach agus mura mbeidh tionscnamh ag Rodrick le síneadh isteach beidh teipthe air.

Mar sin, thairg mé cúnamh a thabhairt dó leis. Chaith muid an oíche ar fad ag obair air agus ní maith liom bheith do mo mholadh féin, ach rinne muid sár-jab.

Ar aon nós, nuair a gheobhaidh Rodrick an Chéad Duais amárach tá súil agam go dtuigfidh sé go bhfuil an t-ádh air deartháir cosúil liomsa a bheith aige.

BUÍOCHAS

Beidh mé buíoch go deo do mo theaghlach as an inspioráid, an spreagadh agus an tacaíocht a thugann siad dom agus mé ag cruthú na leabhar seo. Tá buíochas mór ag dul do mo dheartháireacha, Scott agus Pat; do mo dheirfiúr Re; agus do mo mhama agus mo dhaid. D'uireasa sibhse, ní bheadh muintir Heffley ann ar chor ar bith. Buíochas le mo bhean, Julie, agus le mo chlann, ar iomaí íobairt atá déanta acu chun a chinntiú go mbeinnse in ann bheith i mo chartúnaí. Buíochas freisin le mo thuistí céile, Tom agus Gail, a bhí ann i gcónaí chun lámh chúnta a thabhairt nuair a bhí spriocdháta ag druidim liom.

Buíochas leis na daoine iontacha in Abrams, go háirithe, Charlie Kochman, eagarthóir díograiseach agus duine den scoth, agus na daoine sin a raibh de phléisiúr agam a bheith ag obair go dlúth leo: Jason Wells, Howard Reeves, Susan Van Metre, Chad Beckerman, Samara Klein, Valerie Ralph agus Scott Auerbach. Tá buíochas faoi leith ag dul do Michael Jacobs.

Buíochas le Jess Brallier a chuir Greg Heffley i láthair an domhain mhóir ar Funbrain.com. Buíochas le Betsy Bird (Fuse #8) as a tionchar mór a imirt chun an scéal a scaipeadh faoi *Diary of a Wimpy Kid*. Agus, ar deireadh, buíochas le Dee Sockol-Frye, agus leis na díoltóirí leabhar ar fad ar fud na tíre a chuir na leabhair seo isteach i lámha na bpáistí.

AN tÚDAR

Tá Jeff Kinney aitheanta mar údar mórdhíola #1 ag an New York Times. Tá an gradam Favourite Book bainte cúig uaire aige ag an Nickelodeon Kids' Choice Awards. D'áirigh an iris Time é i measc an 100 Duine ar Domhan is Mó Tionchar. Is é Jeff a chruthaigh Poptropica, a d'ainmnigh an iris Time i measc na 50 suíomh idirlín is fearr. Chaith sé a óige i Washington D.C. agus d'aistrigh sé go New England i 1995. Tá cónaí ar Jeff, a bhean chéile agus a mbeirt mhac i Massacusetts, áit a bhfuil siopa leabhar acu darbh ainm 'An Unlikely Story.'